땅에서, 날다

땅에서, 날다

조현주 ★ 소설집

창비

차례

땅에서,

날다

발이 땅에서 떨어지는 순간, 머릿속이 하얘졌다. 딱 봐도 단단한 돌들이 언덕을 가득 뒤덮고 있었다. 퍼뜩 계산해 봐도 여기서 떨어지면 저 바윗돌 위였다. 급하게 엉덩이를 쭉 빼고 다리를 길게 뻗었다. 금방이라도 다시 발끝이 땅에 닿을 것 같아 죽을힘을 다해 다리를 흔들었다. 하지만 아무리 발차기를 날려도 발끝에 닿는 건 아무것도 없었다. 어떤 힘이 나를 땅에서 멀어지게 하고 있었다. 자꾸만 바닥에 구겨져 있던 동현이가 떠올랐다. 순간 아랫배가 쩌릿하게 아파 왔다. 심장이며 대장, 소장이 조그맣게 쪼그라드는 것 같았다.

이게 다 그놈의 윙슈트 때문이다. 나는 눈을 부릅뜬 채 딱딱거리는 이를 꽉 깨물고 땅을 향해 욕을 퍼부었다.

"야, 이 개새끼들아! 이제 니들은 내 발바닥 밑이다~아!"

목구멍에서 쉰 소리가 새어 나왔다. 내 몸을 떠난 목소리는 땅에 닿기도 전에 흔적도 없이 사라져 버렸다.

*

하늘을 나는 꿈을 세 번쯤 꾸었을 때, 나는 진짜로 하늘을 날아 보리라 다짐했다. 제대로 날아 보지도 못하고 당한 꼴이 우스워 꾸는 꿈 같았다. 부스스한 머리로 껌껌한 방에 앉아 컴퓨터를 켰다. 한참 동안 윙 소리가 나더니 띵딩디링딩, 시작음이 들렸다. 인터넷을 열고 검색창을 노려보았다. 손가락을 꼼지락거리다가 검색창에 '윙슈트'라고 쳤다.

윙슈트 영상, 윙슈트 점핑, 스카이다이빙, 날다람쥐, 스턴트맨, 트랜스포머, 자유 낙하.

수많은 연관 검색어 중에 윙슈트 영상을 클릭했다. 한 남자가 절벽을 향해 곤두박질치고 있었다. 별다른 장비도 없었다. 팔과 다리 사이를 팽팽하게 이어 주는 천이 전부였다. 남자는 뾰족뾰족한 바위 사이를 날아 바다로 향했고, 곧 바다 위로 솟은 섬 옆을 쏜살같이 지나가 바위틈에 난 조그만 동굴로 날아들었다. 인간 같지 않았다. 영화 속에 나오는, 아무리 두들겨 맞아도 끄떡없는 '맨' 같왔다.

“상또라이네.”

이렇게 중얼거리고 있으려니 컴퓨터 화면이 까맣게 변했다. 도대체 아버지는 절전 모드를 몇 분 간격으로 설정해 놓은 걸까. 문득 일주일 전 아버지 말이 떠올랐다.

“머리에 바람만 잔뜩 들어 가지고, 어디 또 한 번 학원 빼먹기만 해. 다음에는 머리카락이 아니라 네 머리통을 날려 줄 테니까.”

아버지가 내 머리털을 박박 밀며 했던 말이다. ‘바람이 들었다.’를 되뇌며 손으로 머리를 슥 쓸어 보았다. 까슬까슬하니 시원했다. 어머니가 늘 하던 말도 떠올랐다.

“기석태, 튀지 말고 좀, 평범하게 가자. 응?”

벌써 튀어 버렸으니, 이미 평범하지 못하니, 한 번 더 갈까. 스멀스멀 이런 생각이 피어올랐다. 진지한 얼굴로 의자에 앉아 있다가 벌떡 일어났다. 책상 모서리에 손등을 세게 부딪혔지만 이를 꽉 깨물고 웅얼거렸다.

“으으윽, 난 난다!”

주먹을 불끈 쥐고 아픔을 가라앉힌 뒤, 다시 의자에 앉았다. 눈에 불을 켜고 여러 웹사이트를 뒤지기 시작했다. 남자가 착용한 의상은 날다람쥐를 본떠서 만든 것이라고 했다. 팔과 옆구리 사이, 다리와 다리 사이를 넓은 막으로 연결한 구조였다. 하늘에 형형색색 연기를 길게 뿜으며 날 수도 있었다. 가격은 엄청 비쌌지만 죽도록 알바를 하면 접근 가능한 금액이었다. 그러나 우리나라에는 윙슈트를 입고 뛰어내릴 만한 산이 없었다. 나를 가르쳐 줄 스승도 없었다. 물론, 용기도 없다. 안타깝지만 윙슈트를 입고 하늘을 나는 건 포기.

다시 컴퓨터를 노려보았다. 한참을 그러고 앉아 있다가 스탠드를 켜고 A4 용지를 꺼냈다. 볼펜을 들고 꾹꾹 누르듯 글씨를 써 내려갔다.

기석태표, 하늘을 나는 완소 아이템

1. 낙하산
2. 열기구
3. 행글라이딩
4. 번지 점프
5. 패러글라이딩
6. 경비행기
7. 스카이다이빙

볼펜을 탁 소리 나게 내려놓고 종이를 빤히 들여다보았다. 빨간 펜을 들어 딸깍딸깍하면서 아랫입술을 콕콕 찍었다. 1번 낙하산, 낙하산. 아무래도 이건 군대 가면 원 없이 할 것 같았다. 낙하산에 빨간 줄을 쫙 그었다. 2번 열기구, 열기구. 시시하고 느리다. 마찬가지로 빨간 줄을 그었다. 3번 행글라이딩, 행글라이딩. 딱히 떠오르는 게 없었다. 일단 패스. 4번 번지 점프는? 허리와 엉덩이에 기저귀 같은 이상한 걸 묶어야 한다. 그러고 보니 번지 점프는 하늘이 아니라 땅으로 향하는 스포츠다. 탈락. 그다음 패러글라이딩을 보다가 6번 경비행기와 7번 스카이다이빙에 줄을 쭉 그었다. 비싸다. 졸라 비싸다.

나는 일 분 만에 행글라이딩과 패러글라이딩으로 범위를 좁혔다. 사진을 찾아보니 행글라이더에는 엄청 두꺼운 쇠심이 박혀 있었다. 운반하려면 트럭 정도는 있어야 할 것 같았다. 탈락. 이제 남은 건 패러글라이딩. 미국 나사(NASA)에서 처음 만들었고 이후 산악인들이 편안하게 하산하기 위해 사용했다. 하늘을 나는 기구 중에 가장 쉽고 안전해서 단기간에 많이 보급되었다. 하늘을 나는 기구 중에 가장 쉽고 안전하다, 이 문장이 눈에 확 꽂혔다. 맘에 든다. 빨간 펜으로 종이를 톡톡톡 두드리다가 패러글라이딩에 동그라미를 마구 그렸다. 빙고.

검색창에 패러글라이딩이라고 쳐 보니 정보가 너무 많았다. 무슨 패러글라이딩 협회, 무슨 패러글라이딩 클럽, 패러 동호회, 비행단, 뭔 비행장……. 그중에 눈에 확 띄는 것이 하나 있었다.

지구 방위대 패러글라이딩

입꼬리가 슥 올라갔다. 싼티가 줄줄 흘렀다. 협회나 동호회보다 괜찮았다. 마우스가 저절로 지구 방위대 패러글라이딩 쪽으로 옮겨 갔다.

홈페이지를 장식한 첫 이미지부터 입이 떡 벌어졌다. 팬티를 바지 위에 입은 사람 열댓 명이 폼을 잡고 서 있었다. 가슴에 큼지막한 숫자를 붙이고 카메라를 향해 총알을 날리는 사람, 다리를 옆으로 쫙 찢어 뛰어오르는 사람, 가슴에 적힌 숫자를 가리키며 가운뎃손가락을 꼿꼿하게 세워 보이는 사람도 있었다. 홈페이지 대문 구호도 남달랐다.

'꼴리는 놈들 다 들이대, 죽인다!'

나는 이마에 주름을 잔뜩 만들고 왼손으로 콧대를 움켜잡았다. 스멀스멀 웃음이 피어올랐다. 무모한 집단 같았다. 충분히 '똘끼' 있어 보였다. 저곳에선 멀쩡한 인간이 될 수 있을 것 같았다. 학생이 해야 할 본분이며 공부에 관한 어쩌고저쩌고하는 잔소리도 물론 없을 것이다. 마우스를 만지작거리다 가입 버튼을 꾹 눌렀다. 침대에 몸을 날려 기지개를 켰다. 왠지 큰 숙제를 마친 기분이었다. 그러다 방 한구석에 둔 택배 상자가 눈에 들어왔다. 대입 검정고시. 천천히 눈을 돌려 천장을 보았다. 눈을 꼭 감아 버렸다.

그날, 내가 학교를 그만두게 된 날, 볼을 스치던 바람이 떠올랐다. 저절로 소름이 돋아 눈을 더 질끈 감았다. 순식간에 텅 비어 버린 하얀 창문도, 바보같이 환하게 웃어 보이던 동현이 얼굴도 오롯이 그려졌다. 창문 밖으로 멍하니 내다본 파란 하늘은 끝없이 뻗어 있는 지붕들과 함께 그저 그림처럼 멈춰 버린 것 같았다. 아무것도 없는 텅 빈 창문으로 동현이가 남긴 그림자만 저 혼자 어른거리고 있었다.

눈을 번쩍 떴다. 택배 상자를 북 뜯었다. 차곡차곡 쌓인 책이 열 권도 넘었다. 지난달 내내, 아버지가 등록한 학원은 한 번도 가지 않았다. 그러다 얼마 전에 머리털을 깎이고 등록한 것이 인터넷 강의였다. 아버지가 웬일로 나긋나긋한 목소리로 말했다.

"이번엔 잘해. 혼자 하는 공부라고 농땡이 칠 생각 말고. 요즘은 이게 더 유행이라더라. 하긴 학교 못 가는 애들끼리 코딱지만 한 방에 모여 앉아서 공부하는 것도 참 못 할 짓이지."

"못 가는 거 아니거든!"

한 귀로 흘리려다가 욱해서 소리를 질렀다.

"학원이랑 똑같이 가르친다더라. 질문도 받고. 학원에 다니기 싫으면 싫다고 진작에 말하지 왜 생돈 나가게 땡땡이야 땡땡이가. 너는 이제 남들처럼 공부하면 안 돼. 일단 이렇게 된 거 더 빨리 검정고시 붙어서 대학 갈 준비해야지. 그래야 남들 눈 신경 안 쓰고 살 수 있어."

아버지 잔소리는 꼭 대학 이야기와 정상 궤도에서 끝이 났다. 학교에 다니는 다른 애들처럼 아침 7시에 깨우겠다는 말도 잊지 않았다. 속에서 뭔가 울컥 치밀어 올랐다. 알아보니 검정고시는 고등학교 1학년 수준으로 출제되기 때문에 그렇게 열심히 공부할 필요가 없다. 다행히 1학년은 거의 다 마치고 일이 터졌으니 하늘이 아직은 내 편인 건가.

아버지 말에 마음속으로 하나하나 토를 달다가 그만두었다. 대입을 생각하면 아버지 말이 틀린 것도 아니었다. 검정고시가 끝나면 학원을 다녀야 한다. 수능 준비는 혼자 하기 힘들 테니까. 하지만 이미 궤도를 이탈한 내가 정상 궤도로 돌아가기 위해, 남들과 비슷하게 살기 위해, 도드라지지 않기 위해 노력하는 거, 과연 이게 맞는 걸까.

띠링.

컴퓨터 화면에 알림창이 떴다. 지구 방위대였다. 가입한 지 오 분도 지나지 않았는데 가입 인사에 댓글이 한 개 달려 있었다. 컴퓨터 모니터에 얼굴을 바짝 붙이고 마우스를 꾹 눌렀다.

— 졸라 반갑다, 지구 방위대 11호.

피식 웃음이 나왔다. 인터넷에서 검정고시 강의 사이트를 둘러보는 내내 '졸라 반갑다, 지구 방위대 11호.'가 따라다녔다. 문득 평범하지 않은 삶도 나쁘지 않다는 생각이 들었다. 정상 궤도, 그것도 별거 아니지. 슬며시 웃음이 흘러나왔다. 목에 힘을 주고 어딘가를 향해 다짐하듯 말했다.

"고딩들, 이 중졸이 니들보다 더 멋지게 살아 주마!"

다음 날, 나는 한강 둔치에서 지구 방위대 5호인 동성이 형을 만났다. 사람도 거뜬히 들어갈 만큼 커다란 가방과 그 안에 들어 있는 알록달록한 패러글라이더를 대충 구경한 다음 하늘을 나는 연습을 시작했다.

"이거 날개, 날개는 캐노피. 이거 연결 줄, 줄은 라이저. 이거 의자, 의자는 하니스. 이것들이 패러글라이딩에서 가장 중요한 부붕이다. 무전기랑 GPS, 바리오는 나중에 알려 줄게."

동성이 형은 띄엄띄엄, 짧고 간략하게 설명을 마치고 캐노피를 한강 둔치의 잔디 위에 넓게 폈다. 길쭉한 바나나킥처럼 생긴 캐노피가 잔디 위에 깔렸다. 캐노피와 연결된 라이저를 대충 펴고 그 끝에 달린 가방 겸 의자 역할을 하는 하니스에 앉았다. 어정쩡한 자세로 하니스에 앉아 라이저를 한 움큼 움켜잡고 구령에 맞춰 뛰었다. 잔디에 납작하게 누워 있던 캐노피가 순식간에 부풀어 올라 벌떡 일어나려 했다. 무게가 장난이 아니었다. 이를 악물고 앞으로 달렸다. 수많은 라이저를 사이에 두고 캐노피와 줄다리기를 하는 기분이었다. 그러다 캐노피가 머리 위로 떠올라 커다란 그늘을 만드는 순간 몸이 붕 떠올랐다.

오오오, 아아아, 어어어……. 말도 아닌 소리를 지르며 한 시간 동안 한강 잔디 위를 날아다녔다. 강변에 불어오는 바람을 타고 하늘에 뜨다 말다 하기를 반복하고 있으려니 저절로 입이 벌어지는 스릴이 있었다.

"수고했따."

한 시간을 날고 난 뒤, 동성이 형은 이렇게 말했다. 날아오르려는 나를 잡아 내리느라 안간힘을 썼는지 콧등에 땀이 송골송골 맺혀 있었다.

"몸에 힘 종 빼, 잉마."

고맙다는 말을 하고 싶었지만 웃음이 먼저 삐져나왔다. 큰 키에 멀쩡한 얼굴에 짧아도 너무 짧은 혀. 그래서 말을 잘 안 했구나, 싶었다. '힘 종 빼.' 집에 가는 내내 피식피식 웃으며 온몸의 근육들을 탈탈 털었다.

집에 돌아와서도 의자를 하니스 삼아 연습하다가 침대 위로 뛰어올랐다. 다리를 어깨너비만큼 벌리고 무릎을 구부정하게 굽힌 다음 엉덩이를 뒤로 쭉 뺐다. 어깨 옆으로 라이저와 방향키가 있다 치고 입으로 바람 소리를 냈다. 쉬쉬, 쉬쉬쉬— 방향키를 왼쪽 한 번, 오른쪽 한 번씩 잡아당기며 몸을 기울였다. 뜰 때도 내릴 때도 무릎을 굽히고 엉덩이를 최대한 뒤로 뺐다. 그리고 천천히 걸었다.

발이 움푹움푹 들어가는 침대 위에서 엉거주춤한 자세로 걷고 있는데 벌컥 방문이 열렸다. 아버지와 눈이 딱 마주쳤다. 웬일인지 내 입꼬리가 슬쩍 올라갔다. 그러자 일그러진 아버지 얼굴도 슬며시 펴지는 것 같았다.

"지랄 염병……. 밥 먹어."

그날 이후, 아침 7시에 기상해서 오전 내내 인터넷 강의를 들은 뒤에 무조건 한강으로 달려 나갔다. 한강에 가면 늘 형들이 몇몇 모여 있었다. 스케이트보드나 인라인스케이트를 타고 있든지 잔디밭에 앉아 맥주를 마시고 있었다. 나는 오로지 하늘을 나는 연습만 했다.

그렇게 며칠이 지난 토요일 아침, 나는 처음으로 지구 방위대 대원들을 모두 만났다. 몇 명은 평범한 외모였고 몇 명은 튀는 외모였다. 까만 머리 일곱에 노란 머리 하나에 빨간 머리가 둘이었다. 엉덩이가 무릎까지 내려온 청바지를 입은 형도 있었고 속옷이 훤히 들여다보일 정도로 북북 찢어진 청바지를 입은 형도 있었다. 해골만 만 개도 넘게 그려진 티셔츠를 입은 동성이 형은 얌전한 편이었다.

대장인 지구 방위대 1호는 가장 눈에 띄었다. 수염이 덥수룩하게 얼굴을 덮은 모습이 왠지 슬퍼 보였고, 굴곡 없이 비쩍 마른 몸에 위아래로 딱 붙는 까만 쫄쫄이는 어쩐지 안쓰러워 보였다. 수염 풍성한 얼굴과 마른 몸통이 참 안 어울린다고 생각했을 뿐인데 입술이 실룩거렸다. 자꾸 웃음이 새어 나왔다. 이 모임, 은근히 사람을 웃게 하는 재주가 있다.

드디어 대장 무릎에 얌전히 앉아 탠덤 비행을 했다. 내 첫 시험 비행이었다. 우리는 나지막한 언덕에 올라 비행 준비를 마쳤다. 나는 대장의 구령에 맞춰 천천히 걸어 나갔다. 그러다 보니 어느 순간 내 발이 허공에서 걷고 있었다. 발아래로 땅이 멀어지고 있었다. 앞으로 천천히 미끄러지던 패러글라이더는 갑자기 방향을 틀어 위로 향했다. 하늘을 휘둘러보고 캐노피를 한 번 보고 발아래로 나무며 집을 몇 개 세어 보고 있으려니 벌써 땅이 가까워지고 있었다. 그냥 잠시 떴다 내린 것 같았다.

"무섭니?"

대장은 융프라우산이라도 날고 내려온 듯 뿌듯한 표정으로 캐노피를 정리하며 물었다. 내가 고개를 가로젓자 대장은 천천히 머리를 끄덕였다.

"그래, 무슨 생각을 했니?"

"아무 생각도 안 했는데……요."

대장처럼 진지하게 대답하려 했는데 덥수룩한 대장의 콧수염 끝에 맑은 콧물이 매달려 있는 게 보였다. 푸우, 꽉 다문 입 사이로 바람이 삐져나왔다. 몇 개월 동안 좀처럼 나오지 않던 웃음이 줄줄 흘렀다. 꾹 참다못해 고개를 푹 숙였다.

"그래, 아직은 무섭다는 생각밖에 없겠지. 다음에는 기대할게, 11호."

잠깐 떴다 내린 첫 탠덤 비행이 끝난 다음, 나는 그리 높지 않은 산에서 내 첫 비행 일정을 잡았다. 이번에는 오롯이 나 혼자 하늘을 날아야 했다.

지구 방위대 4호가 빌려준 장비를 메고 나지막한 산을 올랐다.

장비 무게는 무려 20킬로그램. 어깨가 빠질 것 같았고 등에 수도꼭지를 틀어 놓은 것처럼 땀이 줄줄 흘렀다. 한 걸음 한 걸음 뗄 때마다 어깨가 땅으로 파고드는 듯했고 다리도 후들거려 금방이라도 꼬꾸라질 것 같았다. 간신히 정상에 올라 바닥에 드러누웠다. 가을 하늘은 파랗고 구름 하나 없었다.

바닥에 누워 숨을 헐떡이고 있으려니 다른 지구 방위대 대원들이 아무 일도 없었던 듯 장비를 내려놓고 널찍한 언덕에 자기들 나름대로 질서 있게 자리를 잡았다. 그러고는 말없이 검지에 침을 발라 바람의 방향을 읽었다. 팔랑거리는 얇은 캐노피를 경사진 내리막에 펼치고, 얽히고설킨 라이저를 쭉쭉 펴고, 헬멧을 쓰고, 무전기를 확인했다. 기저귀처럼 생긴 하니스에 엉덩이를 끼워 넣고 엄지를 번쩍 들어 올렸다. 그러고는, 날았다.

대원들은 통통 몇 번 뛰고는 하늘로 날아올랐다. 아무렇지도 않게 다른 차원으로 슥 가 버리는 마법사들 같았다. 그 절도 있는 행동을 보고 있으려니 가방 무게 때문에 나갔던 정신이 다시 돌아오는 듯했다. 벌떡 일어나 경사면에서 조금 벗어난 곳에 캐노피를 펴고 라이저를 한 올 한 올 가지런히 정리했다. 검지에 침을 잔뜩 발라 바람도 읽어 보고, 하니스에 엉덩이를 딱 붙인 채 나는 시늉도 해 보았다.

한참 그러고 있으니까 동성이 형이 다가오더니 진지한 얼굴로 이런저런 주의 사항을 알려 주었다. 바람이 세다 싶으면 바로 줄을 당겨 하강할 것, 높이 솟을 생각은 절대로 하지 말 것, 혹시 높이 솟아 제트 기류를 만나면 낙하산을 펼 것, 기류를 만나 하늘에서 빙글빙글 돌게 되더라도 정신 똑바로 차리고 도는 방향으로 같이 돌다가 땅을 향해 서둘러 오바이트를 할 것. 무엇보다 언제나, 늘, 항상 무전기에 귀 기울일 것.

언덕에서 비행 연습을 하니 다리가 덜덜 떨렸다. 경사가 심해 더 그랬다. 라이저를 잡고 첫걸음마를 떼는데 뒤에서 뭔가 턱, 하고 나를 잡아당겼다. 라이저가 팽팽해지고 캐노피가 순식간에 머리 위로 솟아올랐다. 한강에서 날 때와는 다른 속도였다. 발이 저절로 붕 떠올랐다. 심장이 뚝 떨어지는 것 같았다.

동성이 형이 나를 꽉 붙들어 다시 땅으로 끌어 내렸다. 그렇게 몇 번인가 연습하고 나니 슬슬 몸이 근질거렸다. 연습은 충분하다, 이제 난 하늘을 난다, 구호처럼 외치려는데 지구 방위대 형들이 내 옆으로 졸졸 모여들었다. 아까 언덕을 날아 내려갔다가 사륜구동 트럭을 타고 올라온 2호, 3호, 4호였다.

"기류가 세졌네. 밥이나 먹으러 가자."

기류라고? 하늘이 너무 멀쩡해 보여 울컥 화가 치밀었지만 목숨이 달린 문제라 아무 말도 하지 못했다. 나는 20킬로그램짜리 가방을 메고 터덜터덜 다시 걸어 내려갔다. 다른 지구 방위대 형들은 트럭에 가방을 싣고 나를 응원했다. 트럭 짐칸에 앉아 군인처럼 지구, 지구, 지구, 하고 외칠 때는 가운뎃손가락을 쭉 펴 보여 주고 싶은 충동을 꾹 참아야 했다. 남자다, 잘났다, 이상한 응원 소리가 날아들 때도 발차기를 날리고 싶은 걸 간신히 참았다.

그날 나는 부대찌개에 밥 한 그릇을 먹고 막걸리 대신에 사이다로 건배도 하고 신고식으로 닭 날개도 하나 먹은 뒤 온갖 말장난을 듣고 나서야 집으로 돌아왔다. 자정이 넘어 카페에 올라온 내 비행 일정은 맑은 날에도 비 오는 날에도 구름 낀 날에도 없었다. 줄곧 텅텅 비어 있던 일정표 끝에 '지구 방위대 11호, 다다음 주 일요일쯤 어쩌면 가능.'이라고 쓰여 있었다. 탈퇴 버튼을 확 누르려다가 공짜니까 한 번만 타고 그만두자, 속으로 다짐했다.

다다음 주, 나는 똑같은 가방을 메고 산으로 올라갔다. 다른 형들은 대놓고 차를 타고 올라갔다. 이를 악물고 올라가려니 하늘에 시커먼 구름이 몰려오고 있었다. 저만치 먼 서울 하늘에는 이미 비가 오고 있다는 일기 예보도 들려왔다. 내 첫 단독 비행은 다시 미뤄졌다. 그날도 탈퇴 버튼을 누르려다가 꾹 참았다.

그다음에도 이런 일은 반복되었다. 비가 와서, 바람이 세서, 시야가 흐려서, 날씨가 더러워서, 꿈자리가 사나워서, 일정표를 지켜야 해서……. 이유는 다양했다. 나는 그럴 때마다 형들이 몰래 들어가 있는 게 아닐까 의심스러울 정도로 엄청 무거운 가방을 메고 욕을 하며 산을 내려와야 했다.

"지구가 왜 초록색인 줄 아느냐? 하늘? 바다? 아니지. 가스 때문이다. 방귀. 인간이든 동물이든 식물이든 매일 엄청난 양의 가스를 배출하거든. 가스는 초록색, 그래서 지구가 초록색인 거지."

그런 날이면 지구 방위대들은 잔디밭에 자리를 펴고 앉아 짜장면을 시켜 먹었다. 형들은 '외계인이 왜 지구에 안 오는 줄 아느냐?' '네가 왜 11호가 됐다고 생각하니, 우연에 대해서 생각해 본 적 있니?' '우리가 왜 지구를 지켜야 하는지 알고 있나?' '너 누나 있냐? 예쁜 누나. 인증 샷은 필수.' 등 얼토당토않은 말들을 던져댔는데, 당최 알아먹기 힘들었다. 그렇게 오래도록 꼼꼼하게 짜장면 건더기를 건져 먹은 건 태어나서 처음이었다.

"됐고, 11호, 재미난 얘기 하나 해 봐. 우리 중에 한 명이라도 웃으면 산에 차 타고 올라가게 해 줄게."

멍하니 짜장면을 내려다보며 재미난 이야기를 떠올렸다. 차 타고 산을 올라간다는 말에 눈에서 불꽃이 일었다.

"저…… 아버지한테 머리 깎인 얘기 해 드릴까요? 개털 깎는 바리캉으로 깎였는데, 그게 생각보다 성능이 좋아서……."

조용했다. 눈을 밑으로 깔고 젓가락으로 남은 짜장면 양념을 휘휘 저었다. 슬쩍 고개를 들어 보니 형들이 까만 짜장면 때문에 유난히 하얘 보이는 이를 내보이며 낄낄거리고 있었다.

"막내야, 너무 흔한 얘기잖아."

"왜, 난 재미있는데. 신선하고. 난 니들처럼 막 자라지 않아서 그런 세계는 잘 몰라."

"시끄러워, 이 쓰 — 리 호야. 우리가 빼 빠지게 번 돈을 혈세로 빨아먹는 공무원 주제에."

형들은 지구 방위대 번호를 욕처럼 읊어 가며 키득거렸다. 나는 짜장면 그릇을 슥 밀어 버리고 대장에게 조용히 물었다.

"저 언제 비행해요?"

소란스러운 틈을 타 물었다고 생각했는데 다들 나와 대장을 빤히 바라보고 있었다. 훅, 내쉬었던 숨이 도로 들어오는 것 같았다.

"지구 방위대 11호, 너 낮에 뜨는 별이 뭔 줄 아니?"

대장이 진지한 표정을 지었다. 까만 쫄쫄이를 슥슥 문지르는 폼이 뭔가 말이 길어질 태세였다.

"태양이다. 우리는 밤에만 별을 볼 수 있는 게 아니야. 하늘을 난다는 것은 해방을 꿈꾸는 사람만이 할 수 있는 일이지. 그만큼 위험하다고나 할까. 너는 무엇에 해당되고 싶은 거지?"

나는 눈을 몇 번 깜빡였다. 뭐에 해당이 되느냐니, 이건 또 뭔 소리지. 하지만 다들 나를 빤히 바라보며 답을 기다리고 있었다. 멀뚱멀뚱 눈을 몇 바퀴 굴리다 나도 좀 애매하게 그냥요, 하고 대답했다. 형들은 미동도 없이 계속 나를 바라보았다. 그냥요,는 답이 아닌 모양이었다. 한참을 버벅거리다가 할 수 없이 윙슈트 이야기를 꺼내 놓았다. 동현이 이야기만 쏙 빼고, 어느 영화에 나온 윙슈트 이야기부터 날 수 있는 모든 것을 검색하다가 찾아낸 패러글라이딩 이야기까지. 내 딴엔 귀엽게 그랬어용, 하고 말을 마쳤을 때도 형들은 여전히 나를 빤히 바라보고만 있었다. 그러다가 곧 입을 크게 벌려 가며 시원시원하게 욕을 해 댔다.

"이 븅신, 어느 은하계에서 왔어? 언제 적 얘기를 하는 거냐고!"

"클라이맥스가 없잖아!"

"졸라 황당하네. 그게 답이냐? 11호 실망이네."

나는 다시 고개를 떨구었다. 이 형들은 내내 나를 관찰하고 윽박질렀다. 매번 탈퇴 버튼에 손이 가게 만드는 힘이 있었다.

"너, 무슨 고민 있니?"

대장은 한참 욕을 처먹는 내게 진지한 얼굴로 물었다. 질문 좀 그만하지, 이 말이 목구멍까지 올라오다 내려갔다.

"저, 고등학교 졸업하려고요."

다시 사방이 조용해졌다. 지구 방위대 1호부터 10호까지 모두 묘한 표정으로 나를 보았다. 그러다 2호가 툭 말을 내뱉었다.

"나보다 학력이 높네?"

4호가 놀라운 속도로 되받아쳤다.

"닥쳐 새끼야, 스승님에 대한 환상이 깨지잖아."

"너나 닥쳐, 스승은 개뿔!"

"야야, 둘 다 입 닫어. 창피해."

욕이 난무했다. 나는 입을 꾹 다물고 가만히 있었다. 그날 형들은 많은 이야기를 들려주었다. 직업에 나이, 학벌, 사는 곳까지. 직업은 다양했다. 생각보다 멀쩡한 직업도 많았다. 대학생에 택배 기사에 회사원, 공무원도 있었고 커피 전문점을 운영하는 형도 있었다.

지구 방위대 5호인 동성이 형은 아이가 벌써 세 살이었다. 대학 입시를 준비하다가 재수 학원에서 예쁜 누나를 만나 아이를 가졌다고 했다. 대입을 포기하고 바로 군대에 갔다 와 지금은 일자리를 찾고 있는 힘든 상황이라고 했지만, 세 살짜리 아이 이야기를 할 때는 짧은 혀도 잊어버리고 꽤 긴 이야기를 늘어놓았다.

최고로 좋은 학벌을 가진 대장은 백수였다. 나이가 마흔에 가까웠고 패러글라이딩을 배운 지 십오 년이 넘었다고 했다. 부모님이 지방에 3층짜리 건물을 가지고 있어 매달 용돈을 받아 썼는데, 그 건물 명의를 대장 이름으로 바꾼 지 오늘로 딱 석 달째 되었다고 했다. 여기저기서 탄성이 터져 나왔다. 오, 재벌. 끝내준다, 이건희.

형들은 저마다 할 말이 많았다. 나오는 말마다 모두 욕이었지만 웃음이 흘러넘쳤다. 어느새 나도 소리치고 휘파람을 불고 몸을 들썩이며 웃고 있었다. 오래도록 웃지 않던 근육이 뻐근했다. 다들 자기 나름대로 재미있게 살고 있었다. 나도 그 속에서 다른 생각 없이 오롯이 즐겁게 웃을 수 있었다. 그건 내가 평범해져서라기보다 꽤 잘 돌아가는 집단에 속한 꽤 멀쩡한 멤버 같아서였다.

그날 나는 지구 방위대 4호의 낡고 오래된 장비를 물려받았다. 그리고 장빗값을 사 년에 걸쳐 갚는다는 계약서에 서명까지 했다. 중국집 이름이 인쇄된 냅킨에 4호 형이 손톱을 꾹꾹 눌러 계약서를 쓰고 내 서명을 받았다. 손톱자국이 선명하게 찍힌 냅킨을 4호

형은 곱게 접어 남방 주머니에 넣었다. 여기저기에서 졸라 멍청한 새끼, 너 돈 벌었다, 땡잡았다, 소리가 날아들었다. 나는 그저 패러글라이더가 멀쩡하기만을 빌었다.

집에 와서 살펴보니 캐노피는 색깔이 바래서 누렇게 변해 있었지만 라이저며 하니스는 괜찮아 보였다. 심지어 라이저 몇 개는 새것이었다. 캔커피라도 상납하며 착실하게 장빗값을 까야겠다고 생각하고 있는데 난데없이 현관문 열리는 소리가 들렸다. 아버지 같았다. 캐노피며 라이저를 재빨리 가방에 쑤셔 넣고 창밖으로 던지려는데 벌컥 문이 열렸다. 아버지와 눈이 딱 마주쳤다. 다녀오셨, 인사도 하기 전에 아버지가 먼저 입을 열었다.

"그거 뭐냐."

아버지는 내가 뭔가를 훔친 거라 생각했는지 놀란 얼굴이었다. 하긴 커다란 가방을 들고 어정쩡하게 서 있는 폼이 딱 도둑놈 같기는 했다. 나는 뭐라고 설명할지 잠깐 머뭇거렸다.

"이 자식, 이거 뭐냐고!"

"그냥…… 바람 좀 맞을까 해서……."

훅, 뜨거운 바람이 얼굴을 때렸다. 흘끔 아버지를 보니 동그랗고 까만 콧구멍 두 개가 정면으로 나를 내려다보고 있었다. 천장을 올려다보며 고뇌하는 아버지의 얼굴이 틀림없는데 푹, 하고 웃음이 새어 나왔다. 아무래도 지구 방위대에서 큰 병을 옮아온 것 같았다. 삐져나오는 웃음을 간신히 참고 취미라고 간단하게 대답했다.

"취미가 뭐냐, 나도 좀 보자."

아버지는 내 가방을 끌어당겨 내용물을 끄집어냈다. 가방에서 캐노피와 라이저 뭉치가 사락거리며 줄줄이 달려 나왔다. 아버지는 한동안 아무 말도 않고 그것들을 멍하니 보다가 캐노피에 달린 상표를 뚫어져라 쳐다보았다. 하늘을 나는 패러글라이딩 그림이었다. 누가 봐도 낙하산처럼 생긴, 하늘을 나는 물건이었다. 순간 왼쪽 뺨에서 번쩍, 불꽃이 일었다.

"네가 이걸 왜 가지고 있어. 네가 왜, 그 꼴을 당하고도, 네가 왜!"

충분히 예상한 일이었지만 너무 갑작스러웠다. 뭐라고 말을 하고 싶었지만 말이 나오지 않았다. 뺨이 말도 못 하게 아프고 귀도 멍멍했다. 하지만 통증보다 억울함이 먼저 올라왔다. 답답한 뭔가가 목구멍을 가득 메우고 있었다. 그날 상담실에서 느꼈던 것과 똑같은 기분이었다.

"야, 「트랜스포머」 봤냐?"

"윙슈트?"

그날 나는 녀석들이 무슨 얘기를 하는지 알지 못했다.

"죽이지 않냐? 완전 죽음, 나 훅 갔잖아!"

우리는 하나둘 창가로 달려가 괴성을 질렀다. 교복 재킷을 펼치고 요란하게 창밖으로 뛰어내렸다. 나지막한 1층 교실이었다. 우리는 바람을 가르며 날다가 2층으로 올라갔다. 2층에선 재킷 대신에 커다란 우산을 들고 날았다. 우리는 점점 신이 나고 목소리가 커져 급기야 3층으로 향했다. 하지만 3층은 너덜너덜해진 우산으로 뛰어내릴 높이가 아니었다. 객기로 감당하기엔 시멘트 바닥이 너무 단단해 보였다. 쭈뼛쭈뼛 웃음이 사라지고 달뜬 분위기가 사그라졌다. 아쉬웠지만 우리는 그렇게 놀이를 마쳐야 했다.

그때 동현이가 나타났다. 늘 우리를 따라다니며 어울리기를 원하던 아이. 동현이는 뭐냐고 재차 물으며 앞으로 나섰다. 우리는 동현이를 빙 둘러쌌다. 트랜스포머 놀이, 너도 한번 뛰어 봐. 싱글벙글 웃던 동현이도 당황해하는 것 같았다. 하지만 여전히 웃는 얼굴이었다. 우리는 계속 부추겼다. 넌 말라서 재킷으로도 날겠다, 그냥도 날겠는데, 우린 벌써 한 번씩 다 뛰었어. 달달한 말들도 오갔다. 그렇게 몇 분을 부추겼을까, 누군가 동현이를 밀치고 팔로 잡아끌었다. 생각도 못 한 틈에 동현이가 창틀 위에 서 있었다. 희미하게 미소를 띠고 있었지만 몹시 상기된 얼굴이었다. 뭔가 잘못됐다는 걸 그때 느꼈다.

하지만 동현이는 이미 창틀 끝에 서서 주먹을 불끈 쥐고 있었다. 손에는 너덜너덜해지고 살이 삐져나온 우산이 꼭 쥐어져 있을 뿐이었다. 그리고 순간, 동현이가 사라졌다. 찰나였다. 둔탁한 소리와 함께 작은 신음 소리가 들렸다. 우리가 창가로 몰려갔을 때 바닥에 납작하게 엎드려 있는 동현이가 보였다. 동현이는 조그맣게 앓는 소리를 낼 뿐 다시 일어나지 못했다. 평생 일어나지 못할 거라고 했다.

우리는 교무실에 앉아 멀뚱히 제 손바닥만 바라보았다. 그냥 재미로, 심심해서, 따분해서 따위의 말은 통하지 않았다. 우리는 입을 꾹 다물었고 뒤늦게 학교에 도착한 부모들은 우리의 닫힌 입을 더 단단하게 닫아 버렸다. 학부모와 선생들은 우리를 골방으로 밀어 넣고 최초의 주동자 한 명을, 이 모든 상황을 책임질 한 명을 찾으라고 했다. 우리는 가만히 의자에 앉아 한 시간 내내 입을 꾹 다물었다.

"아, 좆같아. 뛰어내린 건 그 자식이지, 우리가 시킨 거 아니잖아."

"그 똘아이 새끼, 왜 뛰어내려 가지고."

험악한 말이 오갔다. 한번 시작된 말은 끝이 없었다. 짜증 나고 더웠다. 환한 창문으로 순식간에 사라진 동현이 모습이 떠올랐다. 동현이가 바닥으로 떨어지던 순간 들린 소리도 생각났다. 뼈 부러지는 소리였을까, 아님 우산이 바닥에 부딪히는 소리였나. 나는 오래도록 꾹 다물었던 입을 떼었다.

"동현이, 땅에 떨어졌을 때 우리 원망했을까."

모든 시선이 나를 향했다. 말을 꺼낸 나도 당황스러웠다.

"너 미쳤냐, 지금 그 말이 왜 나오는데?"

"야, 기석태, 너 웃긴다. 지금 너만 착한 척이냐?"

"네가 동현이한테 뛰어내리라고 열라 소리 질렀잖아!"

사나운 말들이 나를 향했다. 울컥 화가 치밀었지만 대답할 말이 떠오르지 않았다. 소리가 높아지고 나는 모든 말들을 고스란히 듣고만 있었다. 순간 모든 것이 귀찮아졌다. 여기에, 이 자리에, 이 녀석들과 같이 있는 것도 내키지 않았다.

"그래, 나다, 내가 뛰어내리라고 했다. 뭐 어쩌라고!"

그걸로 끝이었다. 담임이 막 문을 열고 들어오고 있었고 부모님들도 함께였다. 우리는 모두 정학을 당했고 나는 자퇴서를 내야 했다. 아무도 나를 말리지 않았다.

그때의 답답함, 수많은 질문에 아무런 대답도 변명도 못 한 나 자신, 자퇴서를 내면서도 꾹 다물었던 입이 이제야 달싹달싹 소리를 내려 하고 있었다. 드라마에서처럼 질질 짜면서 사실 학교 그만두기 싫었다고, 나 좀 말려 주지 그랬냐고, 아버지가 그때 나한테 해 준 게 뭐가 있냐고, 그런 말을 하고 싶은 건 아니었다. '쿨'하게, 지구 방위대 형들처럼 나사가 하나 빠져 보여도 멀쩡하게 잘 지내고 있다는 걸 보여 주고 싶었다. 나는 왼쪽 뺨을 슥슥 문지르며 대답했다.

"쪽팔려서. 한번 제대로 날아 보지도 못하고 그 꼴을 당한 게 쪽팔려서……. 한 번만 날아 보려고. 아버지가 싫다고 하면 안 할게."

최대한 담담하게 말했다. 어쩌면 웃고 있었는지도 모르겠다. 그날 나는 플라스틱 걸레 자루로 죽도록 맞았다.

*

소리를 지르고 나니 긴장이 조금 풀린 것 같았다. 몸에 힘을 빼고 하니스에 몸을 맡겼다. 쪼그라들던 내 장기들도 이젠 제자리를 찾은 듯 잠잠했다. 라이저가 팽팽하게 캐노피와 나를 이어 주었고 나는 꼿꼿하게 앉아 땅을 내려다보았다. 생각보다 높이 올라가고 있었고 느끼지 못할 만큼 천천히 기류를 따라 큰 원을 그리고 있었다. 비로소 편안하게 하늘이 보였다. 평화롭고 안정된 하늘. 발아래 집들도 보였다. 사람은 보이지도 않았다. 3층짜리 학교 건물 따위도.

오롯이 혼자 내려다보는 땅은 평온하고 조용하기만 했다. 무전기에서 들리는 소리에 맞춰 방향을 틀었다. 멀리 지구 방위대가 보였다. 알록달록 장난감 같은 패러글라이더가 하늘을 유영하고 있었다. 방향키를 당겨 무리에 섞였다. 이제 무전기가 아니더라도 대원들의 목소리가 들렸다. 무전기에서도 여전히 많은 이야기들이 흘러나왔다. 히말라야에서는 독수리들과 같이 하늘을 난다고, 독수리가 날갯짓을 하지 않는 곳이 상승 기류라 그곳으로 가면 패러글라이더가 큰 원을 그리며 저절로 하늘로 올라간다고, 그러면 독수리도 패러글라이더를 친구로 받아들인다고, 그곳에서는 언제까지나 하늘에 떠 있을 수 있다고.

"너도 같이 가자, 11호."

무전 끝에 이 말이 또렷하게 들렸다. 바람이 불어 지구 방위대들은 다시 올라가고 내려가다 뿔뿔이 흩어졌다. 다시 혼자가 되어 하늘을 날았다. 차가운 바람이 얼굴을 때리는 동시에 캐노피가 팽팽하게 바람과 맞섰다. 문득 꿈에서 본 장면이 떠올랐다. 아파트와 강 위를 날던 커다란 그림자가 갑자기 쏟아지는 소나기를 뚫고 두꺼운 구름 사이로 숨어들었다. 커다란 독수리였다. 무리 지어 다니는 독수리가 아닌, 혼자뿐인 독수리.

저 아래 땅 위에 내 그림자가 보였다. 마치 커다란 새 같았다. 평온해 보였다. 땅에서 혼자 나는 그림자도, 그림자를 품은 풍경도, 하늘에서 내려다본 땅도 너무 아름답고 편안해 보였다. 순간 학교도, 시험도, 친구도 모든 것이 시시하게 느껴졌다. 무엇 하나 제대로 해 보지도 못하고 학교에서 쫓겨난 내가 하늘이라도 날자, 다짐했던 마음도 흐릿해지는 것 같았다. 아무런 선택지도 주지 않고 무엇에 해당하는지 물었던 대장의 물음만큼 의미 없어 보였다.

무전기에서 하강하라는 신호가 들려왔다. 그래, 내려가자, 다시 땅에 내려가서 무리에 섞여 보자. 하강 줄을 잡아당겼다. 땅이 가까워지고 있었다. 하늘은 멀어지는 것 같지 않았다. 하늘은 원래 자기 자리를 찾아가는 것 같았다. 차가운 바람이 얼굴을 가볍게 스쳤다. '너도 같이 가자, 11호.' 아주 가까이 나를 원하는 무리가 있었다. 멋지고 그럴듯하지는 않아도 꽤 듬직한 울타리가 있는 무리에서 나는 버젓한 멤버였다. 점점 커지는 내 그림자를 보다가 하강

줄을 슬며시 놓아 버렸다. 밑으로 내려가던 몸이 텅, 하고 다시 솟구쳤다. 빳빳한 라이저에 당겨져 다시 위로 올라갔다. 땅에 내려가기 전에 하늘과 진한 인사라도 해야 할 것 같았다.

그 섬에 가고 싶다

성적표를 받아 든 순간 머릿속이 멍해졌다. 사방에서 들리는 소음도 멀찍이 물러나는 것 같았다. 이게 어떻게 된 거지, 이걸 어떻게 해석해야 하는 거야. 머릿속이 복잡해서 답을 찾을 수가 없었다. 20 클럽에 들어가 있는 녀석이 불안한 듯 나를 흘끔거리는 게 느껴졌다. 일단 성적표를 아무렇게나 바지 주머니에 구겨 넣고 교실을 빠져나왔다. 어디로 가는지 생각도 않고 무작정 걸었다.

30등이라니. 엄마가 오를 거라고 장담한 등수는 전교 10등이었다. 그런데 20등이나 더 올라 버렸다. 삼 개월 전의 나라면 당연히 기뻐했겠지만, 지금은 기뻐해야 하는지 아닌지조차 알 수가 없었다. 지난 삼 개월의 시간들이 머릿속에서 빠르게 스쳐 지나갔다.

20 클럽에서 밀려난 뒤로 초침에 맞춰 움직인 시간이었다. 갑갑함이 밀려들었다. 새벽마다 그랬던 것처럼 위에서 시큼한 물이 올라왔다.

"야, 죽지 마."

뭔가에 부딪혔지만 무시하고 걸었다. 전교 석차가 이렇게 오를 거라고는 예상도 못 했다. 나 자신을 못 믿은 걸까. 아니, 그런 걸 생각할 틈이 없었다. 무려 30등이다. 엄마는 뭐라고 하려나. 늘 그러듯 엄마, 아빠의 학벌과 친척들의 학벌을 들먹이며 나를 더 심하게 쪼아 대려나, 아니면 자신의 정보력과 노력에 환호성을 지르려나. 아니, 엄마는 아무 내색도 하지 않을 거다. 더 치밀하고 확신에 찬 모습으로 나를 몰아붙이겠지. 어쩌면 나는 이제 그 조용한 방에서 나오지 못할지도 모른다. 삼 개월만 참으면 된다고 생각했는데 그게 이 년이 될 수도 있다니! 안 좋은 상상이 쓰나미처럼 밀려들었다. 이 년, 그 시간은 도대체 얼마나 긴 시간일까.

"야, 김기태. 그깟 성적 때문에 죽지 말라고."

누군가 내 팔을 확 잡아챘다. 생각보다 강한 힘에 저절로 몸이 기우뚱했지만 팔을 비틀어 뿌리쳤다. 주춤거리며 멈춰 서서 녀석을 보았다. 그제야 녀석이 김도영이라는 걸 알았다. 입학 당시에 20 클럽에 같이 있다가 나보다 먼저 퇴출된 녀석이었다.

"도대체 무슨 생각을 하는 거야?"

멍하니 서 있는데 김도영이 다시 말을 걸었다.

“불안하잖아, 너. 표정이 뭐 그따위냐고. 신경 쓰이게.”

김도영은 이렇게 말하더니 복도 창문 쪽으로 나를 밀어붙였다. 그러고는 자신의 성적표를 쫙 펴서 내 코앞에 들이밀었다. 너무 가까워서 자세히 보이지는 않았지만 얼핏 전교 석차가 100등을 넘긴 것 같았다. 나도 모르게 뜨악한 얼굴이 되고 말았다. 20 클럽에도 들었던 녀석이 어쩌자고 저렇게 떨어져 버렸을까.

“네가 무슨 생각하는지 알아. 나 이제 20 클럽에 못 들어가. 좋은 대학도 힘들 거고. 어쩌면 서울에 있는 대학도 안 될걸.”

맞다. 저런 성적으로는 서울에 있는 대학은 절대로 못 간다. 지방대 괜찮은 과에도 들어가기 힘들다.

“나한테는 20 클럽이 희망이었다고. 우리 집은 비싼 과외 같은 거 시켜 줄 돈이 없거든. 근데 너네 집은 부자라며. 거기 못 들어가도 과외 받으면 되잖아. 뭐가 문젠데?”

20 클럽은 교장 주도하에 전교 20등 안에 드는 학생만 모아서 밤 10시까지 과외 비슷한 걸 시켜 주는 거였다. 과외만 받는 게 아니라 입시에 대한 정확한 정보도 얻을 수 있어서 20 클럽에 들어간 학생들은 대부분 좋은 대학에 입학했다. 그래서 우리 학교 20 클럽은 교내에서는 물론이고 다른 학교에서도 꽤 유명했다.

“그러니까 그런 썩은 표정 좀 하고 다니지 말라고. 나 같은 놈도 멀쩡하게 사니까.”

김도영은 떨떠름한 표정으로 나를 쏘아보고는 껄렁껄렁한 몸짓으로 멀어져 갔다. 바지 주머니에 손을 찔러 넣고 걸어가는 폼이 어쩐지 구부정해 보였다. 그 뒷모습이 성적표와 무척이나 닮았다고 생각했다. 김도영이 내밀었던, 형편없이 구겨진 그 성적표가 다시 눈앞에 보이는 것 같았다.

교실은 아직도 시끌벅적했다. 성적표가 나온 날이면 아이들은 어찌 됐든 끝났으니 놀러 가자는 무리와 뒷일을 걱정하는 무리로 나뉜다. 나는 어디에 속해야 할지 알 수 없는 마음으로 책상에 얼굴을 파묻었다. 이 성적표는 엄마한테 보여 줄 수 없다. 아니, 절대로 싫다. 그게 결론이었지만 다른 방법이 떠오르지 않았다. 엄마를 막을 방법도, 그 방에서 벗어나는 길도 나는 알지 못했다.

또 그 방에 갇혀 있어야 한다. 이 교실을 나가면 엄마의 하얀 차가 나를 그 방으로 옮겨 놓을 것이다. 그 조그만 과외 방에 들어가면 각기 다른 세 명의 선생들에게 내내 과외를 받고 다시 엄마의 차에 태워져 전국적으로 유명하다는 수학 학원의 강의를 들으러 가야 한다. 그러고 나서야 집에 있는 진짜 내 방으로 들어간다. 하지만 내 방도 갑갑하기는 마찬가지다. 엄마는 늘 정해진 시간에 밥과 간식을 가져다주었고 새벽까지 나와 함께 책을 읽거나 졸았다.

아마 지금도 엄마의 하얀 차는 교문 앞에서 나를 기다리고 있을 터였다. 언제나처럼 홍삼 진액을 마시고 엄마가 사 온 김밥이나 샌드위치를 먹어야 한다. 생각만 해도 숨이 막혔다. 나도 모르게 눈을 꽉 감았다.

움찔 놀라 눈을 떠 보니 어느새 교실에는 나 혼자 남아 있었다. 깜빡 졸았던 걸까. 갑자기 온몸이 써늘해지면서 으스스 떨려 왔다.

팔에 돋아난 소름을 쓸어내리고 느릿느릿 가방을 챙겼다. 평소보다 조금 늦었으니까 엄마한테 곧 전화가 올 거다. 얼른 핸드폰을 무음 모드로 바꾸고 다시 가방 위에 엎어졌다. 어쩌자고 이런 거야, 이런 갑갑한 생활을 나는 계속 버틸 수 있을까. 절대 못 버틸 것 같다. 아니, 버티기 싫다.

"대책 없이, 어쩌자고, 어쩌라고……."

"그러면 좀 낫냐."

화들짝 놀라 고개를 들어 보니 김도영이 나를 내려다보고 있었다. 순간 엄마가 아니라 다행이라는 생각부터 들었다. 기운 없이 다시 책상에 엎어지려는데 김도영이 엉뚱한 말을 던졌다.

"나, 섬에 갈 거야. 지금."

내가 멀뚱멀뚱 눈을 굴리고 있으니까 김도영이 덧붙였다.

"우리 삼촌이 거기 살거든. 며칠 도망가 있으려고. 생각 있음 따라와."

뜬금없이 언젠가 입시 설명회에서 들은 이야기가 떠올랐다. 어느 으리으리한 성에 공주가 잠들어 있다. 강사는 그 공주를 성에 갇혀 살았던 라푼젤쯤으로 생각하면 좋을 것 같다고 했다. 공주는 성공한 아버지와 집안 좋은 어머니 밑에서 자란 아름다운 신붓감이어서 수많은 왕자들이 말을 타고 가시덤불을 지나 용을 물리치며 성으로 달려간다. 하지만 결말에서는 늘 단 한 명의 왕자만이 공주를 차지한다. 공주를 차지하는 왕자는 말을 잘 타는 사람도 아니고 싸움을 잘하는 사람도 아니며 성으로 가는 길을 잘 아는 사람도 아니다. 그 성에 공주가 잠들어 있다는 사실을 가장 먼저 알아낸 사람이다.

"정보력입니다, 정보력. 지금 이 시점에서 여러분에게 가장 중요한 것은 바로 정보력뿐입니다!"

장사꾼처럼 소리치던 말투도 또렷했다. 왜 그 강사의 말이 떠올랐을까. 알 수 없는 얼굴로 김도영을 향해 고개를 들었다. 김도영은 어느새 교실을 나가고 없었다.

나도 가방을 챙겨 들고 밖으로 나갔다. 터덜터덜 계단을 내려가는데 창밖으로 교문 앞에 선 차 한 대가 눈에 들어왔다. 엄마가 몰고 다니는 하얀 승용차였다. 감옥 같은, 움직이는 또 하나의 방이 나를 삼키려 거칠게 숨을 내뿜고 있었다. 창문이 까맣게 선팅이 된 차 안에서 완벽하게 화장을 하고 앉아 있을 엄마가 보이는 것 같았다. 발이 떨어지지가 않았다. 또 몇 시간 동안 갇혀 있어야 한다. 시험을 잘 봤다고 달라지는 건 아무것도 없다.

그때 아래층에서 나지막한 노랫소리가 들려왔다.

"꽃잎이~ 바람에 흩날리는~."

김도영이 가을에 어울리지 않게 봄노래를 부르고 있었다. 김도영은 정문 대신 후문으로 나가는 것 같았다. '나, 섬에 갈 거야. 지금.' 김도영의 말이 다시 떠올랐다. 섬이라니, 거기 도망가 있을 거라니. 그곳은 답답하지 않을까. 사방이 바다로 막힌 섬이 답답하지 않을 수도 있는 걸까. 자진해서 갇히면 다를 수도 있나. 아니, 집보다, 학교보다 먼 곳이 있기나 한 걸까.

김도영이 섬에 갈 거라고 했을 때 입시 설명회 강사의 말이 왜 떠올랐는지 알 것 같았다. 그때 나는 정보력이니 뭐니 하는 얘기보다 성에 갇힌 공주와 나를 겹쳐 보는 데 집중하고 있었다. 공주와 나의 차이점이라면 공주에게는 성이 세상의 전부였고 나는 세상이 넓고 넓다는 것을 알고 있다는 것뿐이었다.

나도 모르게 후다닥 뛰어 내려갔다. 멀어지기 전에, 저 노랫소리를 잡아야 할 것 같았다. 다시 감옥에 갇혀 버리기 전에 떠나야 했다. 갇혀 있어도 숨 쉴 수 있는 곳으로 가고 싶었다.

우리는 아무 말 없이 나란히 걸었다. 김도영은 그럴 줄 알았다는 얼굴로 나와 같이 걸어 주었다. 터미널에 도착해서는 당연하다는 듯 가진 돈을 몽땅 내놓으라고 하더니 그걸로 시외버스 표를 끊었다. 남은 돈으로 햄버거와 과자를 너무 많다 싶을 정도로 사 들고 버스에 올랐다.

창밖으로는 아무 일도 일어날 것 같지 않은 풍경들이 스쳐 지나갔다. 오랜만에 보는 풍경이었다. 나도 저 풍경에 섞여 자유롭게 널브러지고 싶었다. 과자를 다 먹어 치우고 배를 두드리다 나지막하게 코를 골며 잠든 김도영이 부럽기만 했다. 성적이 떨어졌다고는 하지만 무척 태평해 보였다.

"십 분간 정차하겠습니다."

커다란 목소리에 화들짝 놀라 깨어 보니 휴게소였다. 벌써 김도영은 옷을 챙겨 입고 밖으로 나갈 채비를 하고 있었다. 어느새 세 시간이 지나 있었다. 우리는 매점에서 통감자와 핫바를 사 들고 휴게소 옆 간이 의자에 앉았다. 김도영은 커다란 통감자를 한입 가득 밀어 넣고 대수롭지 않게 물었다.

"너 몇 등이나 떨어졌냐?"

대답할 말이 없어 감자만 우물거리고 있으니까 김도영이 다시 물었다.

"집에 연락은 했냐?"

"연락은 무슨. 누가 가출을 그렇게 친절하게 하냐."

"전화는 드려라. 걱정하신다."

무슨 상관이냐는 얼굴로 감자만 씹고 있으니까 김도영이 영화 줄거리를 요약하듯 이야기를 늘어놓았다.

자기가 들은 얘기에 따르면 어떤 놈이 생각 없이 가출을 했다가 일주일째 되는 날 꼴사납게 경찰서에 끌려갔다는 거였다. 친구 집에서 놀고먹다가 근처 마트로 라면을 사러 갔는데 재수 없게 경찰 눈에 띄었다는 이야기였다.

"하필이면 그 경찰이 그놈이랑 같은 아파트에 사는 동네 주민이었던 거지. 같은 동네 사람이니까 실종 신고도 직접 해 주고 열심히 찾아 나선 거고. 무슨 나쁜 일이라도 생겼을까 봐 얼른 찾아 달라고 그 자식 엄마가 힘도 썼겠지? 하여튼 그 억세게 재수 없는 놈이 교훈을 하나 남겼잖아. 집을 나갈 때는 문자라도 하나 남기자, 쪽팔리게 라면 봉지 들고 잡혀가기 싫으면. 생각보다 드라마틱한 게 세상이니까."

내가 코웃음을 치니까 김도영이 눈을 부라리며 덧붙였다.

"그러니까 나까지 피해 주지 말고 알아서 잘하라고. 가출했다고 주변 시끄럽게 만드는 건 중딩들이나 하는 짓이니까."

김도영의 말에 다 공감하는 건 아니었지만 집에 연락하지 않은 게 내내 마음에 걸리기는 했다. 내 입에서 가출이라는 말이 나온 것도 의아했다.

핸드폰을 꺼내 전원을 켰다. 부재중 전화와 음성 메시지 그리고 문자 메시지가 엄청나게 남겨져 있었다. 담임한테도 연락이 갔는지 문자가 와 있었고 몇몇 친구들의 메시지도 있었다. 너 성적표 확인 안 했냐? 와서 봐라. 김기태, 전교 1등을 노린 거였냐? 재수 없으니까 빨리 답장하시지……. 내용을 보아하니 다들 내가 성적표는 확인도 하지 않고 비관해서 잠수를 탔다고 생각하는 모양이었다.

휴, 숨을 크게 내쉬고 엄마한테 문자 메시지를 보내려는데 갑자기 김도영이 핸드폰을 확 낚아챘다.

"뭐야, 너. 성적이 오른 거였냐?"

장난기 섞인 걸걸한 목소리가 아니었다.

"근데 왜 이 지랄인데?"

대꾸할 말이 없어 핸드폰을 도로 빼앗으려는데 김도영이 사납게 윽박질렀다.

"대답을 하라고, 이 새끼야!"

심드렁하게 그런 게 있다고 넘어가려니까 김도영이 더 크게 몰아세웠다.

"있기는 뭐가 있는데? 너 내가 우습냐? 친하지도 않은 놈이 졸라 떨어진 지 성적표까지 들이밀면서 에너지 쏟으니까 재미있어 죽겠디?"

그러고는 마지막 남은 통감자를 입에 욱여넣더니 성큼성큼 어딘가로 걸어갔다. 김도영이 향한 곳은 휴게소 옆으로 난 논두렁길이었다.

"야, 어디 가? 버스 안 타?"

"너나 타, 이 미친 새끼야!"

나는 버스와 김도영을 번갈아 보다가 그 자리에 오도카니 멈춰서 버렸다. 어째야 할지 알 수가 없었다.

우리 버스에는 이제 사람들이 하나둘 다시 타고 있었다. 곧 버스가 부르르 몸을 떨며 떠날 준비를 했다. 그렇게 몇 초가 지났을까, 운전기사가 누군가를 찾는 듯 차 문 밖으로 얼굴을 빠끔히 내밀었다. 빈 과자 봉지만 수북이 남기고 사라진 우리를 찾는 게 틀림없었다. 여기 있다고 소리를 질러야 하나. 지금이라도 뛰어갈까. 다시 김도영을 보았다. 버스가 떠나건 말건 김도영은 수확이 끝난 우중충한 논 사이를 마냥 걷고 있었다. 마치 균형 잡기 놀이라도 하듯 뒤뚱거리기까지 했다. 내가 왜 김도영을 따라왔을까, 김도영은 어쩌자고 저렇게 대책이 없을까, 나에 대한 책임감은 눈곱만큼도 없는 걸까. 이러다가 꼴사납게 엄마한테 데리러 오라고 전화해야 하는 건 아닐지 후회가 밀려들었다.

그때 우리가 타고 왔던 버스가 천천히 휴게소를 빠져나가는 게 보였다. 순간 황망해져서 김도영을 찾았지만 김도영은 여전히 뒤도 돌아보지 않고 비좁은 논두렁길을 핫바를 먹으며 걷고 있었다. 버스는 이제 휴게소를 벗어나 완전히 사라지고 없었다. 온몸에 힘이 쭉 빠져나갔다.

"내 성적이 오른 게 너랑 무슨 상관인데……."

혼자 중얼거리고 있으니까 나 자신이 말도 못 하게 초라하게 느껴졌다. 나를 이렇게 만든 김도영이 얄미워 미쳐 버릴 것 같았다. 달려가 등짝이라도 걷어차 주고 싶었다. 저토록 자유롭게 걷는 모습을 보니까 더 그랬다. 휘적휘적 걷는 몸짓에서 자유가 뚝뚝 떨어지는 것 같았다.

"제멋대로인 새끼."

화가 난다고 모든 계획을 팽개칠 수 있는 것도 부러웠고 떨어진 성적에 크게 신경 쓰지 않는 것도 부러웠다.

“재수 없는 새끼.”

그렇게 생각하니까 더 울화가 치밀었다.

“이해심도 없는 새끼.”

나는 왜 저러지 못할까, 왜 이 모양일까.

“난 이제 어떻게 하냐고. 이 나쁜 새끼야…….”

한동안 욕을 퍼붓고 있으니까 저만치 김도영이 되돌아오는 게 보였다. 눈을 질끈 감았다 뜨고 김도영을 노려보았다. 저절로 주먹에 힘이 들어갔다. 발차기라도 날리면 니킥으로 받아 주고 주먹이라도 휘두르면 박치기로 응해 줄 참이었다. 하지만 김도영은 여전히 급할 것 없는 몸짓으로 천천히 다가와 덤덤하게 말했다.

“미친 새끼, 버스를 잡아야 할 거 아니야. 여기서 뭐 어쩌자는 건데?”

꽉 쥔 주먹이 맥없이 풀리고 말았다. 기운이 빠져서 어정쩡하게 소리를 질렀다.

“아무것도 모르면서 그딴 걸로 삐진 게 누군데.”

“뭐라는 거야? 누가 먼저 사기를 쳤는데?”

“사기 친 거 아니거든. 네가 혼자 소설 쓴 거잖아!”

“뭐 이런 새끼가 다 있어. 성적 올랐으면 엄마한테 맛있는 거나 사 달래지 왜 징징거리고 난린데?”

“네가 뭘 알아? 나도 내가 어떻게 될지 모르는데 네가 뭘 아냐고!"

답답한 마음에 확 내질렀다. 그러자 김도영은 처음으로 입을 꾹 다물었다. 잡아먹을 듯 부리부리하던 눈도 잠깐 순해진 것 같았다.

우리는 누가 먼저랄 것도 없이 멀뚱히 휴게소에 있는 버스들을 쳐다보았다. 똑같이 생긴 버스들이 승객들을 기다리며 가만히 늘어서 있었다. 우리가 타야 할 버스는 이미 떠나고 없었지만 우리는 오래도록 주차장을 바라보았다. 마치 잘 찾아보면 우리를 태워 줄 버스가 어딘가에 있기라도 한 것처럼. 그러다 김도영이 먼저 버스가 떠나 버린 방향으로 걷기 시작했다. 나도 뒤를 쫓았다. 해가 뉘엿뉘엿 넘어가고 있었다.

우리는 논두렁길을 따라 말없이 걸었다. 고속 도로와는 점점 멀어져 곧 휑하니 마른 논들만 사방에 늘어섰다. 논에는 뭔가를 심었던 흔적만 남아 있을 뿐 오랫동안 사람의 손길이 닿지 않은 것 같았다. 그런 논을 가로질러 곧장 걷다가 문득 내가 김도영이 밟은 자리만 그대로 밟으면서 따라가고 있다는 걸 깨달았다. 그게 싫어 여기저기 마구 발자국을 찍으며 걸었다. 그러고 보니까 가을인데도 파릇파릇한 풀들이 많이도 돋아나 있었다.

"그래서 20 클럽에 들어갔냐?"

"응."

갑자기 묻는 통에 고개까지 끄덕였다.

"아우, 재수 없는 새끼."

괜히 뻘쭘해져서 나도 실없는 소리를 했다.

"교장이 주는 소스, 슬쩍 줄까?"

"됐어, 이 새끼야."

다시 말없이 걸었다. 그렇게 한참을 가니까 생각보다 큰 도로가 나왔다. 도로를 끼고 옆길로 들어서니 좁다란 인도가 나오고 멀리서 듬성듬성 불빛이 보였다. 수많은 간판들이 벌써부터 불빛을 반짝이고 있었다. 우리는 부지런히 그곳으로 향했다. 벌써 사방이 어두워지고 있었다.

도시에 가까이 다가갈수록 화려한 간판들이 새롭게 보였다. 차에서 내다보던 풍경이 내 눈앞에서 보란 듯이 반짝이고 있었다. 이게 진짜구나. 이런 밤거리를 걸어 본 게 얼마 만인지 생각조차 나지 않았다. 거리에는 사람들이 부지런히 웃고 떠들고 비틀거리고 흔들거렸다. 낯설지만 부러웠다. 아무짝에도 쓸모없어 보이던 술 취한 사람들마저도 부러웠다. 나도 저 무리에 섞여 같이 흔들거리고 싶었다.

"구경 왔냐, 그만 좀 두리번거리지. 쪽팔리거든."

멀찍이 떨어져 걷던 김도영이 나를 타박하며 어딘가를 턱으로 가리켰다. 오늘 밤은 여기서 자자고 했다. '옥돌 찜질방'이라고 적힌 촌스러운 간판이 붙어 있었다.

찜질방은 명절 때 친척들을 따라 몇 번 가 본 적이 있지만 이렇게 밤늦게 가기는 처음이었다. 옥돌 찜질방이라는 글씨가 커다랗게 박힌 파란 옷을 받아 들고 탈의실로 들어서니 김도영은 벌써 옷을 다 벗고 목욕탕으로 들어가고 있었다. 혼자 한참을 쭈뼛거리고 헤매다가 찜질방으로 들어가 보니 파란색 아니면 분홍색 옷을 입은 사람들이 군데군데 널브러져 있었다. 어떤 무리는 자고 있고 어떤 무리는 화투를 치고 있고 또 다른 무리는 티브이를 보고 있었다. 낡고 헐렁한, 똑같은 옷을 입고 있어서 그런지 다들 한심하고 할 일 없어 보였다.

김도영은 산소방에서 달걀을 까먹고 있었다. 그 옆에 앉아 멀뚱거리고 있으니까 김도영이 빨대가 꽂힌 커다란 식혜 통을 내밀었다. 됐다고 고개를 저었더니 김도영은 혼자서 그 많은 걸 꿀꺽꿀꺽 거의 반이나 마셔 버렸다. 그러고는 주머니에서 뭔가를 꺼내 들었다. 초록색의 네모난 팩에 들어 있는 음료, 소주였다. 김도영은 익숙한 손놀림으로 소주 두 팩을 따서 식혜 통에 쏟아부었다. 그러고는 두꺼운 빨대를 꽂아 쪽쪽 빨아 먹었다.

"너도 한 모금 해."

김도영이 얼굴에 주름을 잔뜩 만들고는 식혜 통을 나한테 내밀었다. 도대체 김도영 마음은 어떤 걸까. 말없이 식혜 통을 받아 들고 빨대를 쭉 빨았다. 식혜 냄새 사이로 소주 냄새가 은은하게 풍겼다. 그리 나쁘지 않았다. 한 번 더 쭉 빨았다. 그렇게 몇 모금을 마시니 김도영이 냉큼 식혜 통을 빼앗아 갔다.

"작작 마셔. 이건 내가 마셔야 돼. 난 놀랄 만큼 떨어졌거든."

그러고는 아무렇지도 않은 얼굴로 물었다.

"야, 김기태. 너 등수가 오르면 어떻게 되냐?"

나는 아무 대답도 않고 김도영 앞에 놓인 구운 달걀을 톡톡 까서 입 안에 홀렁 넣었다. 어느 영화에서 본 껄렁껄렁한 남자처럼 꼭 한번 이렇게 먹어 보고 싶었다. 미끄덩한 달걀이 입 안에서 기분 좋게 굴러다녔다. 왠지 삐뚤어지는 기분이었다. 하지만 우물우물 씹을수록 목이 꽉 메어 왔다. 숨이 막혀서 식혜 통을 들고 조금 마셨다. 아까는 괜찮다고 생각했는데 쓴맛이 확 느껴졌다. 기침이 멈추지 않고 계속 터져 나왔다.

"무식한 새끼, 이게 아직도 식혜로 보이냐? 우리나라는 이래서 안 된다니까. 공부만 잘하고 생각 없는 새끼들이 대학은 꼭 좋은 데 가요."

벌써 술기운이 올라오는지 말도 안 되는 욕을 먹으면서도 피식피식 웃음이 나왔다. 전교 석차가 30등이나 올랐다고 하면 김도영은 뭐라고 할까. 20 클럽에서도 상위권이라 한동안은 밀려나지 않을 거라고 하면 날 두드려 패려나. 그렇게 생각하니까 또 웃음이 삐져나왔다.

"미친 새끼, 벌써 취했냐? 왜 실실 웃고 지랄이야."

김도영은 그렇게 말하고 나서 저도 뭔가 재미있는 게 떠올랐는지 내 팔뚝을 툭 쳤다.

"아까 학교에서 내가 했던 말, 졸라 감동이지 않았냐? 복도에서

했던 말 있잖아. '죽지 마.' 크, 내가 말하고도 멋있더라. 그거 사실 책에서 읽은 거거든. 제목이랑 내용은 하나도 생각이 안 나는데 그 말만 기억에 남더라고. 그래서 한번은 써먹어 보고 싶었지. 상대가 너일 줄은 몰랐지만. 어쨌거나 내 진심이니까 새겨들어. 앞으로도 떨어지든 오르든 그깟 성적 때문에 그런 멍청한 얼굴로 다니지 말라고, 쪽팔리니까. 어차피 좋은 대학 들어가도 취업 못 하면 도로 꽝인데 그깟 대학이 뭐가 중요하냐."

그래서 김도영은 지금 9급 공무원 시험을 준비하고 있다고 했다. 대학에 갈지 안 갈지는 몰라도 틈틈이 공부하고 있다는 말을 덧붙였다.

"우리 엄마는 완전 싫어하잖아. 꿈이 9급 공무원이 뭐냐고. 내가 언제 9급 공무원이 꿈이랬냐고. 그냥 뭐든 앞날을 준비하겠다는 거지. 괜히 삼촌 때문에 나만 들들 볶아요."

술기운이 올라오는지 김도영은 묻지도 않은 이야기를 했다.

"어제도 엄마랑 대판 했다니까. 삼촌한테 간다니까 얼마나 싫어하던지. 아니, 아들이 엄마 동생한테 간다는데 그게 그렇게 싫어할 일이냐고. 안 그래?"

나는 가만히 듣고 있다가 어안이 벙벙해져서 물었다.

"너 가출한 거 아니었어?"

"누가? 내가?"

"섬에 도망가 있는다며."

"누굴 중딩으로 아냐? 아니거든. 엊그제부터 전쟁을 치러 가면서 힘들게 얻어 낸 휴가거든."

뭔가 속은 기분이었다. 배신당한 느낌이 이런 걸까. 자고 있는 사람들이 옆에 있어서 소리도 못 지르고 나지막이 윽박질렀다.

"그럼 내가 중딩이란 소리냐?"

"뭐야, 너 아직도 연락 안 했어?"

할 말이 없었다. 식혜 통을 들어 한 모금 쭉 빨았다. 그러자 김도영도 볼이 움푹 들어갈 정도로 식혜 소주를 세게 빨아올렸다. 우리는 한동안 말도 않고 주거니 받거니 쪽쪽 식혜 소주를 마시며 연신 크, 캬, 으, 하는 소리만 쏟아 냈다.

"근데 너네 삼촌 결혼하셨어?"

"혼자 살아."

"다행이네."

"뭐가?"

"여자들은 잔소리가 심하잖아."

"아아."

다시 식혜 소주를 한 모금 마셨다.

"독신이셔?"

"아니, 돌싱."

"아아."

식혜 통도 이제 바닥을 보이고 있었다. 김도영은 빨대를 빼더니 식혜 통을 들어 남은 식혜 소주를 홉홉 털어 마시고는 자기 삼촌 이야기를 들려주었다. 원래 그 섬의 대부분이 김도영의 할아버지 땅이었는데 삼촌이 사기를 당해서 몽땅 날려 먹었다는 거였다.

"그래서 우리 삼촌도 공무원 시험 준비해. 그렇게라도 그 섬을 지키고 싶은 거지."

"공무원이 되면 섬을 지킬 수 있대?"

"무식한 새끼, 공무원이 무슨 태권브이냐. 항로 표지 관리원이 될 거라는 얘기지."

항로 표지 관리원은 등대지기의 정식 명칭이라고 했다. 연봉은 2천만 원쯤 되고 일 년에 십 개월은 혼자 지내야 하며 경쟁률이 무려 45 대 1이라고 했다. 자격증도 꽤 있어야 하는데 전기 기능사, 전기 기기 기능사, 항로 표지 기능사 등 나로서는 생소한 것들뿐이었다. 좋은 점이라면 근무 시간 내내 인터넷을 할 수 있다는 것 정도였다.

"근데 그거, 섬을 지키는 게 아니잖아."

한참 만에 물으니까 김도영도 고개를 끄덕였다.

"그래도 등대지기만 한 게 없대. 섬을 지키는 데."

"아아."

이렇게 대답하고 나지막하게 혼자 중얼거렸다.

"혼자 열 달 동안 그 안에서 뭐 하냐. 갑갑하게."

등대를 지키는 김도영의 삼촌을 떠올리니까 성에 갇혀 있는 남자가 그려졌다. 남자가 성 밖으로 기다란 머리카락 같은 밧줄을 늘어뜨리면 꼭 내 엄마 같은 사람이 바구니에 먹을 것과 생필품을 넣어 줄 것만 같았다.

갑자기 우울한 마음이 밀려들었다. 조그만 그 방이 다시 떠오르고 앞으로 닥칠 시간들도 눈앞에 그려졌다. 또 숨이 막혔다. 대학에 입학한 뒤 바로 취업을 준비하던 사촌 형들도 떠올랐다. 딱 10등만 올랐으면 좋았을걸. 그럼 엄마가 실망하지도, 더 기대하지도 않고 지난 삼 개월의 특훈으로 끝났을 텐데. 아니, 차라리 김도영처럼 성적이 확 떨어져 버렸으면 어땠을까. 하지만 나한테는 그걸 감당할 배짱이 없다는 걸 잘 알고 있었다.

김도영은 어느새 코를 골며 자고 있었다. 무척 편안해 보였다. 잠깐 동안 그 모습을 보고 있으니 갑자기 쓴맛이 올라오며 속이 울렁거렸다. 화장실에라도 가서 몽땅 게워 내야 속이 시원할 것 같았다. 산소방을 조심조심 걸어 나와 조용히 문을 닫고 나가려는데 화들짝 놀라고 말았다. 찜질방 바닥에 어느새 사람들이 가득했다. 꼭 애벌레처럼 몸을 약간씩 웅크린 채 바닥 가득 누워 있었다. 똑같은 옷을 입고 삼삼오오 나란히 누워 있는 모습이 마치 일부러 바닥에 촘촘한 무늬를 만들려는 것 같았다.

이 많은 사람들은 도대체 어디에 있다가 나타났을까. 나처럼 집이 감옥 같아서 가출한 것도 아닐 텐데 똑같은 옷을 입고 같은 공간에서 이러고 있는 게 신기하기만 했다. 아까는 한심해 보이던 사람들이 측은해 보이면서 가깝게 느껴지기까지 했다. '모두들 가출했나요, 아님 누구랑 싸웠나요, 혹 무슨 다른 사연이 있는 건가요. 서로 아무것도 모르는 남남인데 여기 이렇게 같이 있으니까 친구 같네요. 그런데 이 찜질방에는 어떻게 오셨나요, 그다지 깨끗하지도 않고 시설도 별로인 데다가 옷도 촌스러운데요.' 아무도 대답하지 않았지만 왠지 대답을 들은 것 같았다. '너희처럼 휴게소에서 버스를 놓친 건 아니지만 여기 있는 덴 다 이유가 있는 거야. 이 시간에 같이 있을 만한 충분한 이유.' 대충 이런 내용 같았다.

울렁거리던 속도 어느새 잠잠해졌다. 찜질방이라서 그런지, 술기운이 돌아서 그런지 온몸이 따뜻해져서 나도 사람들과 같이 바닥에 널브러졌다. 기분이 말도 못 하게 좋았다. 당장 엄마가 들이닥쳐도 겁나지 않을 것 같았다. 그렇게 생각하니까 갑자기 용기가 솟아올랐다. 내친김에 바지 주머니에서 핸드폰을 꺼내 전원 버튼을 눌렀다. 수십 통의 부재중 전화 가운데 엄마 번호를 길게 눌렀다. 신호음 한 번이 미처 다 울리기도 전에 "너 어디야?" 하는 엄마 목소리가 들렸다. 차분한 목소리였지만 분명 평소와 달랐다. 한동안 가만히 숨을 내쉬고 들이마시다가 천천히 입을 열었다.

"엄마, 나 전교 석차가 30등이나 올라 버렸어요."

"알아. 어디야?"

"그럼 이번에는 몇 개월이나 감금할 거예요?"

한동안 대답이 없었다. 곧 담담한 엄마 목소리가 들렸다.

"너 술 마셨니?"

"네, 조금요."

"누구랑? 거기 어디야?"

다시 갑갑함이 몰려들었다. 아까 그 기분 좋은 느낌을 되찾고 싶었다. 얼른 전화를 끊고 싶었지만 꾹 참고 다시 입을 열었다.

"섬에 갈 거예요. 이제 갇혀 있기 싫어요. 그 섬에 가서 갇혀 있는 것도 나쁘지 않다 싶으면 그때 다시 돌아갈게요. 그때는 엄마가 나를 감금시켜도 주문을 외워 볼게요. 내가 원해서 갇힌 거다, 내 발로 들어왔으니 괜찮다, 이렇게요. 그러니까 저 찾지 마세요. 다시 연락드릴게요. 안녕히 주무세요, 엄마."

다급하게 나를 부르는 엄마 목소리가 들렸지만 전원 버튼을 길게 눌러 핸드폰을 꺼 버렸다. 홀가분한 기분이 들었다. 다시 편안한 마음으로 벽에 기대앉았다.

나쁜 기억을 남김없이 몰아내듯 길게 숨을 내쉬었다. 한참을 그러다 문득, 산소방 문 옆에 쪼그려 자고 있는 아저씨 다리가 눈에 들어왔다. 까만 털이 듬성듬성 난 종아리 중간에 찜질방 키가 달린 고무줄이 돌돌 감겨 있었다. 어찌나 짱짱하게 감겨 있는지 다리에 피가 안 통할 것 같았다. 실제로 두 다리 색깔이 조금 다른 것 같기도 했다. '왜 남들처럼 발목에 매 놓지 않으셨어요, 아저씨.' 걱정스러운 마음에 속으로 물었지만 대답이 없었다. '아저씨, 제가 다리를 조금 편안하게 해 드려도 될까요.' 여전히 대꾸가 없었다. 나는 재차 설득했다. '아저씨, 제가 풀어 드릴게요, 훨씬 편안해질 거예요. 종아리가 너무 갑갑하잖아요.' 아무래도 아저씨는 너무 깊게 잠든 모양이었다.

더는 안 되겠다 싶어서 어깨를 한번 으쓱한 다음 아저씨의 다리를 향해 팔을 뻗었다. 한 손으로 아저씨의 허벅지를 붙잡고 다른 손으로 고무줄을 잡았다. 그러고는 짱짱하게 감긴 고무줄을 발목 쪽으로 돌돌돌 밀어 내렸다. 고무줄이 뭔가에 자꾸 걸리는 것 같았지만 무시하고 계속 내렸다. 그러다 더는 내려가지 않아 자세히 들여다보니 고무줄에 까만 다리털이 군데군데 말려 있었다. 그걸 또 멀뚱히 보다가 아무 생각 없이 고무줄을 밑으로 또르르 굴렸다. 티틱틱, 하는 소리와 함께 아저씨가 몸을 움찔거렸다. 곧 아저씨의 널찍한 등짝이 천천히 움직였다. 자다가 깨서 그런지 얼굴이 유난히 험악해 보였다.

"뭐여?"

대답을 하려는데 혀가 꼬였는지 말이 더디게 나왔다.

"어, 키가 답답해서, 아니 다리가 답답해서, 제가 풀어 줬……."

아저씨 얼굴이 점점 더 심하게 일그러졌다. 부스스 일어나는 몸이 슬로비디오처럼 느리게 느껴졌다. 돌아누워 있을 때는 다정하고 친근해 보였는데 일어난 모습은 영 딴판이었다.

"이런 도둑놈의 새끼가!"

몸을 반쯤 일으킨 아저씨의 입에서 생각지도 못한 단어가 튀어

나왔다. 화들짝 놀라 손을 휘저으며 아니라고 말하려는데 손이고 입이고 말을 듣지 않았다. 도둑이 아니라고, 종아리가 갑갑해 보여서 그런 거라고, 아저씨가 고마워해야 한다고 말하려고 했지만 도무지 입이 떨어지지 않았다. 옹알이를 떼고 말을 시작하는 아이가 이런 기분일까. 뜨뜻한 콧바람만 푹푹 뿜어져 나왔다.

그때 누군가 내 팔을 낚아채더니 나를 어딘가로 질질 끌고 갔다. 나도 모르게 누워 있는 사람들을 밟거나 치고 지나갔지만 사과할 시간이 없었다. 여기저기서 악 소리가 튀어나오고 욕도 들렸다.

"야, 김기태, 정신 안 차릴래? 그거 먹고 취했냐?"

나를 끌고 가는 사람은 놀랍게도 김도영이었다. 코까지 골면서 자고 있던 놈이 어느새 나를 짐짝처럼 끌다시피 하며 뛰고 있었다. 반가운 마음에 언제 일어났냐고 물으려는데 또 말이 나오지 않았다.

혀를 요리조리 굴리며 입만 달싹이고 있는데 갑자기 시원한 바람이 얼굴에 와 닿았다. 말도 못 하게 상쾌한 바람이었다. 그 바람을 하나도 놓치지 않으려고 입을 쫙 벌렸다. 한없이 기분이 좋아졌다. 지금 입고 있는 촌스러운 찜질방 옷만 빼면 무지하게 행복한 순간 같았다.

'아, 행복해. 행복이란 이런 거였어. 난 자유 의지로 충분히 행복해질 수 있는 인간이었어. 그 방엔 절대로 가지 않을 거야, 절대로 가지 않아. 난 그 섬에 갈 거니까. 등대지기가 되겠다는 김도영의 삼촌이 사는 그 섬에 꼭 가고 싶으니까. 갇혀 있어도 불행하지 않다는 김도영의 삼촌이 사는 그 섬에 나도 꼭 갇히고 싶으니까.'

그러자 커다랗게 벌린 입 사이로 소주 냄새 가득한 트림이 쑥 올라왔다. 끄억. 속이 시원했다. 가슴 어딘가에 커다란 문 같은 게 생긴 것 같았다. 그 문이 더 활짝 열리도록, 다시는 닫히지 않도록 가슴을 있는 힘껏 열어젖혔다.

꿈에 관한 보고서

11번 차영민

쌤, 이거 정말 수행 평가 안 들어가는 거 맞죠? 믿어도 되죠?

'미래의 자랑스러운 나를 그리며 멋진 꿈을 가지세요!' 이런 수업이 아니라서 정말 다행요. 사실 꿈 없는 애들 많거든요. 꿈을 안 꾸는 애들도 많고. 저도 그래요. 잠잘 때 꿈도 안 꾸고 다른 꿈도 없어요. 무의식도 텅텅 비어 있는 것 같고. 매일 똑같은 거 아시잖아요.

참, 19번이 저지른 실수는 잊어 주세요. 걔 쫌 이상해요.

2학년 3반 7번 김묘란

꿈이 무의식을 반영하는지는 잘 모르겠다. 내 꿈은 항상 현실을 반영하니까. 내가 매점에서 우유 없이 빵을 먹었다면 그날 밤 꿈에서는 죽어라 우유만 마신다. 교과서에 조선 시대 어느 왕이 나왔다면 꿈에서 나는 그 왕이 되어 왕관을 쓰고 황금빛 수가 놓인 옷을 입고 궁궐을 거닌다. 상궁이며 내시들이 고개도 들지 않고 내 뒤를 졸졸졸 따라다닐 때는 나도 모르게 자상 미소를 짓게 된다. 그런 꿈을 꾸고 난 뒤에는 꿈에서 깨어나도 여전히 웃고 있을 때가 많다.

아플 때도 나는 현실적인 꿈을 꾼다. 콧물이 줄줄 흐르는 코감기에 걸리면 콧구멍으로 물이 콸콸 들어오는 꿈을 꾸거나 얼굴만 물 밖으로 삐죽 내밀고 살려 달라고 고래고래 고함을 치는 꿈을 꾸기도 한다. 머리가 죽도록 아픈 감기에 걸리면 늘 수학 문제를 푸는 꿈을 꾸는데, 하얀 연습장을 앞에 놓고 땀을 뻘뻘 흘리는 내 모습을 보고 있자면 영혼이 달아나는 것 같다. 그러다 꿈에서 깨어 정신을 차려 보면 대부분 아주 간단한 사칙 연산이거나 x, y의 값을 구하는 방정식 문제였을 때가 많다. 이런 꿈을 몇 번 꾸고 나서 나는 다음과 같은 결론에 이르렀다. 내 뇌는 참으로 정직하고도 단순하구나. 덤으로, 나는 꼭 문과에 가야겠구나…….

여러 가지 이유로 내 꿈은 무의식이 아니라 현실을 반영한다. 꿈은 현실의 연장이다.

이서준

꿈꿔 본 적 없음.

2학년 1반 12번 김성준

— 꿈에 관한 특강 —

• 요약정리

지크문트 프로이트는 인간의 심리 문제를 자신의 불행했던 어린 시절을 통해 돌아보고, 정신적 불안과 그 원인을 꿈에서 찾으려 했음. 『꿈의 해석』을 출간했으나 당시 과학계에서 외면당함. 성 충동과 공격 본능, 그리고 이 두 가지에 저항하려는 성격이 서로 치열하게 싸우는 무의식이 존재하며 이 무의식이 인간을 지배한다는 가설을 핵심으로 내세웠음. 꿈을 우리 생활로 끌어들여 정신 의식의 하나로 간주했음. 자유 연상법이라는 정신 치료법도 도입했음. 이것이 현대 정신 치료의 시초가 됨.

20세기를 '프로이트의 세기'라고 부를 만큼 무의식의 발견은 우리 삶에 큰 영향을 끼쳤음. 프로이트의 『꿈의 해석』은 인간의 내면을 연구하는 데 많은 도움을 주었음.

• 지크문트 프로이트의 저서 『꿈의 해석』

제1장 꿈의 문제에 관한 학문적 문헌

제2장 꿈의 해석 방법

제3장 꿈은 소망의 충족

제4장 꿈의 왜곡

제5장 꿈의 재료와 꿈의 원천

제6장 꿈의 작업

제7장 꿈 과정의 심리학

(똑똑한 폰의 힘을 빌림. 그냥 적어 보고 싶었음.)

• 『꿈의 해석』 대략적 내용 정리

꿈은 무의식의 반영, 유아기에는 부모와의 분리 불안에 대한 심리가 꿈으로 표현, 청소년기에는 성에 관한 집착을 반영(사람에 따라 다르다고 생각함), 성인기에는 꿈의 흐름이 일정하지 않음. 무의식은 통계학적 숫자로 표현이 안 된다고 함.

(두둥 — 지택 등장! 청소년기에 딱 들어맞는 질문 투척!)

* 수행 평가 안 들어가는 거 알고 있음. 그냥 정리해 봤음.

변영욱

인간의 꿈은 미래의 대체 에너지가 될 수 있다고 생각한다. 꿈을 거래하거나 저장할 수도 있을 것이다. 꿈은 아이디어가 되고 발명의 원천이 될 것이며 변화의 원동력으로 충분할 것이다. 화가에게 꿈은 무한대로 넓은 도화지가 될 것이고 소설가에게는 끝없는 원고지가 될 것이며 영화감독에게는 필름 없이 영화 한 편을 만들어 낼 수 있는 가능성의 공간이 될 것이다.

꿈은 삶의 일부다. 단순히 잠을 방해하거나 곧 잊어버릴 것으로 치부하지 말자. 꿈은 자신의 무의식이 쓰는 일기장이다.

덧붙여, 19번에 관련된 일은 잘못했다/안 했다로 나누지 말았으면 한다.

오나무

쌤~ 저는 있죠, 이상한 꿈만 꿔요. 꿈에서 깜깜한 동굴 속을 한참 들여다보다가 나오거나 아무도 살지 않는 오래된 집 주위를 빙글빙글 그냥 막 맴돌기도 한다니까요. 외롭지도 않고 쓸쓸하지도 않고 무서운 것도 없는데 저는 왜 이런 꿈을 자꾸 꾸는 걸까요? 제 꿈 좀 해석해 주세요, 쌤~~. 꿈속에서 만날 방황하고 돌아다니니까 미치겠어요. 가끔은 꿈에서 깨면 진짜 다리가 막 아프다니까요. 저 미쳐 가고 있는 거 아니겠죠? 몽유병일까요? 알려 주세요. ㅠㅠ

쌤, 그리고 지택이요, 뒤에 앉은 애들이 시켜서 그런 거예요. 제가 다 들었어요. 땍지, 택지, 막 이러면서 무슨 색인지 물어보라고 시키더라고요. 제가 지택이랑 초등학교 때 같은 반이어서 알아요. 걔 변태는 아니거든요. 1학년 때 두부라는 애를(별명이 두부래요. 살이 엄청 하얘서 붙은 별명이라더라고요.) 좀 괴롭혔다는 얘기는 들었는데요, 그것도 아마 뒤에 앉은 애들이랑 같이 놀다가 그랬을 거예요. 걔들 완전 깡패거든요.

그리고 지택이 걔, 성적 때문에 스트레스가 엄청 심하대요.(이건 엄마한테 들은 얘긴데요, 걔네 엄마랑 우리 엄마랑 친하거든요. 걔네 엄마 장난 아니에요. ㅎㄷㄷ) 하여튼 진짜 변태는 아니에요, 쌤. 요즘 지택이 좀 불쌍해요. 걔들 정말 나빠요. ㅠㅠ

모학년 모반 모번 모군

나는 잠이 모자란다. 잠 좀 자게 꿈 같은 건 안 꿨으면 좋겠다. 지택 같은 놈도 사라져 버렸으면 좋겠다.

국소희

꿈에 관한 설문지

1. 내가 꾼 꿈 이야기

눈부시게 밝은 방으로 들어갔다. 방에는 책상, 의자, 침대 등등이 놓여 있다. 모두 너무나도 각진 모서리를 가지고 있어 몹시 거슬렸다. 그것들을 보고 있으니 순식간에 피곤이 몰려들었다. 어디에든 널브러지고 싶었지만 날카로운 모서리 때문에 빳빳하게 버티고 섰다가 결국 침대에 풀썩 쓰러지고 말았다. 그러자 침대에서 밝은 빛이 흘러넘치더니 침대가 사르르 무너졌다. 아니, 흩어졌다. 수많은 나비가 되었다. 나비는 끝도 없이 날아올랐고 나는 놀라서 주춤주춤 뒤로 물러났다. 그러다 책상에 손을 짚었는데 이번에는 책상도 흩어져 나비로 변해 버렸다. 내 손에 닿는 모든 것들이 나비로 변해 나에게 몰려들었다.

나는 어지러워 눈을 뜨고 있기 힘들었다. 눈앞에서 빛처럼 반짝이는 나비들이 너울너울 날갯짓을 하며 날아다녔다. 나비들은 나를 지나 열린 방문 밖으로 사라졌다. 방은 곧 텅 비어 버렸고 나 혼자 덩그러니 남았다. 나비들이 날아오른 자리에는 번데기 허물이 수없이 널려 있었다. 나는 멍하니 번데기 허물을 보다가 그 사이에 웅크리고 누웠다. 바닥에 누워 나비들이 날아오르던 장면을 떠올렸다.

나는 여전히 피곤하고 힘들었다.

2. 꿈이 뜻하는 바는 무엇일까?

나는 지금 번데기 허물 사이에 누워 있다.

3. 왜 이런 꿈을 꾸었을까?

현실 인증 샷?

4. 꿈을 꾸고 느낀 점은?

쉬고 싶다…….

5. 수업에 대해 궁금한 점이나 하고 싶은 말은?

이 꿈의 뜻은 뭘까 고민해 보라거나 묻지 않았으면 좋겠다. 하나도 안 궁금함. 그냥 써 봤음.

김지택, 상태가 안 좋아 보임. 쌤이 상담 좀…….

28번 나성기

수업 엄청 재미나게 잘 들었어요. 저는 꿈 해몽에 관심이 많거든요. 제가 아는 해몽 사이트는 '굿 해몽'뿐이었는데 쌤 이야기 듣고 나니까 '굿 해몽' 말고 다른 사이트도 찾아봐야 할 거 같아요.

지크문트 프로이트 이야기도 재미있었고 그 사람이 말하는 꿈 해석도 재미있었어요. 처음에 꿈이라고 해서 '커서 뭐 될래?' 그런 건 줄 알았는데, 전 아직 꿈이 없걸랑요. 나중에 그런 꿈 이야기도 나오긴 했지만 뭐, 그럴 줄 알았던 내용이라. 그래도 좀 식상하긴 했어요, 쌤. 그냥 잠잘 때 꾸는 꿈 얘기나 계속해 주시지.

근데 있잖아요, 청소년기에는 성적 욕구 불만이 꿈으로 나타난다는데 전 그거 맞는 거 같아요. 사실 이름 때문에 어려서부터 애들한테 놀림도 많이 받고 그랬거든요. 그래서 그런지 성에 대해서 다른 애들보다 더 많이 생각했던 거 같아요. 그리고 뭐, 청소년기에는 원래 그렇다고, 안 이상하다고 하니까 하는 말인데요, 그런 꿈 많이 꾸는 것도 사실인 거 같아요. ㅋㅋㅋㅋㅋㅋㅋ

쌤, 꿈꾸면 쌤한테 물어봐도 돼요? 사실 사이트에서 해 주는 해몽이 좀 그렇고 그렇거든요. 똑같은 꿈 가지고 두 번 해 보면 다르게 나올 때도 있어요. 비슷한 꿈도 이랬다저랬다, 다른 사이트도 왠지 비슷할 거 같고. 어떤 꿈은 진짜 대박 궁금한데 해몽을 못 해 주니까 아, 진짜 완전 짜증 나요. 오죽했으면 제가 제대로 꿈 해몽을 배우려고 그랬다니까요.

그리고요, 지택이 걔 1학년 때는 공부도 엄청 잘하고 덩치들이랑 같이 몰려다녔어요. 지금은 그 꼴이지만 한때는 아무도 못 건

드렸어요. 얼굴도 잘생겨서 여자애들한테 인기도 장난 아니게 많았고. 근데 자업자득이라잖아요. 지가 그렇게 애들 괴롭혔는데요, 뭐. 전 그렇게 생각해요. 하여튼 쌤, 너무 열받지 마시라고요. 걔도 프로이트님 말대로 성적 불만이 엄청 쌓여서 그랬겠죠. ㅎㅎ

2-5 3, 이미지

꿈과 꿈을 연결시킨 글을 본 적이 있음. 완전 쩜.

근데 나는 둘 다 뇌에 남아 있지 않음. 전두엽이든 어디든 존재 미확인. 밤에 꾸는 꿈은 기억에서 안드로메다로 수슝—! 미래에 내가 이루고 싶은 꿈은 좌절 모드로 전환, 두둥—! 실현 가능성은 제로…….

…

이거, 뭐임……. 꿈에 관한 수업? 우리를 실험 대상으로 사용하는 건지……. 이 과제는 뭔지? 특강이면 특강답게 끝내면 될 텐데 이런 보고서는 왜 쓰라는 건지. 우리는 모르모트가 아닌데……. 뭘 알고 싶은 건지. 뭐가 궁금한 건지. 우리 꿈에서 뭘 얻으려는 건지.

우리의 무의식? 우리의 폭력성? 우리의 성적 불만? 아무것도 건질 수 없다는 걸 왜 모를까. 우리를 울타리에 가둬 놓고 아무 생각도 말고 공부만 하라고 시킨 건 당신들일 텐데……. 논문 자료를 얻고 싶으면 길거리에서 설문지를 돌리든가, 그것도 아님 정신 병원에 가서 알아보든가, 그것도 싫음 팬티에 관심 많은, 성적 불만 충만한 김지택 따로 불러 물어보든가.

성현실

저는 꿈을 믿어요. 아침에 일어나면 점을 치죠. 타로 카드로요.

사실 엄마한테 배운 건데 이젠 제가 더 잘해요. 매일매일 점을 치다 보니 해석하는 능력도 늘고요.

예를 들면 이런 식이에요. 타로 점에 동쪽이 오늘 내 운에 안 맞는다고 나오면 그날은 매점에도 안 가요. 저번에는 사기를 당할 수도 있다고 해서 하루 종일 애들이랑 말도 안 했어요. 재물이 붙을 운이라고 나온 날에는 어른들한테 인사를 더 잘하게 돼요. 그럼 거짓말처럼 진짜 용돈이 생긴다니까요.

꿈도 마찬가지예요. 꿈을 해석해 보면 그날 조심할 것들을 알게 되거든요.

꿈이랑 타로 점은 둘 다 제 친구예요.

참, 요즘은 화투 점도 괜찮고 중국 점도 좋더라고요.

주가영

최영인

1. 내가 꾼 꿈 이야기

괴물을 피해 비닐로 지어진 집 같은 곳으로 달려갔다. 괴물은 그림자도 없고 보이지도 않는다. 그러나 괴물을 피해야 한다는 건 알 수 있다. 우리는 어디에도 없는 괴물을 흘끔거리며 비닐로 지어진 허름한 집 구석구석으로 숨어들었다. 거기에는 벌써 많은 사람들이 모여 있었다. 이리저리 뛰어다니며 탈출구를 찾는 사람도 있고 이미 포기하고 주저앉아 우는 사람도 있다. 아주 큰 소리로 기도하는 사람도 있고 혼자 멍하니 앉아 있는 사람도 있다.

그때 한 사람이 이렇게 외쳤다.

"위로 올라갑시다!"

위를 올려다보니 비닐 집 천장에 창문이 하나 나 있었다. 조금 열려 있어서 탈출하기에 딱 좋은 것 같았다. 그곳을 확인하자 사람들은 갑자기 선인장으로 변하기 시작했다. 손바닥처럼 납작납작한 선인장 위에 가시가 달린 선인장들이 붙고 붙어 위로, 위로 올라갔다. 나도 선인장으로 변해 납작한 선인장 위에 가 붙었다. 곧 천장 창문에 가까워졌다. 가시를 조금만 더 뻗으면 창문에 가 닿을 것 같았다. 닿을 거야, 닿을 거야, 간절히 주문을 외우다 잠에서 깨어났다.

나는 선인장이었을 때 몸에 와 닿던 가시들을 아직도 기억한다.

2. 꿈이 뜻하는 바는 무엇일까?

……

3. 왜 이런 꿈을 꾸었을까?

……

4. 꿈을 꾸고 느낀 점은?

……

5. 수업에 대해 궁금한 점이나 하고 싶은 말은?

……이런 꿈을 왜 꿨을까……

윤영

선생님, 김지택 걔 말에 완전 놀랐을 텐데 쿨하게 답까지, 완전 멋졌어요! 저 같으면 짜증 나고 화나서 울어 버렸을 거예요;;

남자애들 진짜 못됐어요. 우리한테도 가끔 묻는다니까요. 무슨 색 입었냐고;; 지난번에도 뒤에 앉은 애들 중에 한 명이 거울로 여자애들 치마 속 보다가 딱 걸려서 교무실까지 끌려갔거든요. 으~ 완전 싫어요. ㅠㅠ

남자애들 정말 왜 그런지 모르겠어요. 안 그런 애들도 있다고 하는데 이제는 그것도 못 믿겠어요. 남자들은 다 늑대라는 말도 있고 프로이트도 그렇게 말하니까 그냥 막 짜증 나고 화나요. ㅠㅠ 제 미래가 걱정되기도 하고. 사실 저는 그렇거든요. 남들은 꿈이 거창한지 몰라도 저는 현실적이라 그냥 평범한 대학 가서 몇 년 회사 다니다가 결혼할 거 같거든요. 저희 언니도 그렇고 사촌 언니들도 다 그래요. 공부로 성공할 자신도 없고 딱히 재주가 있는 것도 아니라서요…….

남들이 물어보면 꿈이 없다고 하지만 사실은 예쁜 집에서 아이 낳고 재미있게 살고 싶거든요. 근데 김지택처럼 멀쩡하게 생긴 애들도 저 모양이면 저는 누구랑 연애하고 결혼해야 할까요, 어떻게 화목한 가정을 꾸미고 살까요;;; 사실 미래의 제 남자 친구도 김지택처럼 멀쩡하다가 이상하게 변할까 봐 겁나요……. 하여튼 제 반쪽이 어딘가에서 잘 기다려 줬으면 좋겠어요…….

앗, 쓰다 보니 하소연이 되어 버렸어요! ㅎㅎ 죄송요. 힘내세요, 선생님. *^^*

김재혁

"꿈은 무한대다."

오늘 수업에서 가장 기억에 남은 말이다. 많은 생각을 하게 했다.

'커서 뭐 될래?' 이 수준에서 하나도 벗어나지 않는 질문들을 하루에도 몇 번씩 듣는다. 나는 어려서부터 되고 싶은 게 없었고 지금도 마찬가지다. 물론 밤에 꾸는 꿈도 잘 기억나지 않는다. 뭔가를 꾸는 것 같기는 한데 깨어나면 하나도 기억나지 않는다. 어려서부터 그랬다. 하지만 오늘 수업을 듣고 나니 뭔가 재미있는 생각이 떠올랐다.

꿈을 연구하는 것은 어떨까?

도대체 꿈을 꾼다는 건 어떤 기분일까?

꿈에 대한 지식이라고는 뇌파인 알파파나 감마파 이런 것밖에 없지만 아무것도 모르는 편이 앞으로 배워 나갈 때 더 재미있지 않을까. 꿈은 무의식의 반영이며 꿈의 해석을 통해 자신의 상태도 체크가 가능하다니 그것 또한 흥미롭다. 지금도 수많은 사람들이 꿈 해몽을 통해 자신의 상태나 미래를 확인하듯이 앞으로는 우울증이나 결벽증 같은 것도 고칠 수 있지 않을까.

김서형 선생님.

저, 궁금한 거 있으면 메일 보내도 될까요? 아무래도 저 혼자 알아보는 건 한계가 있을 것 같아서요. 답장 꼭 부탁드려요. 그리고 지택이는 원래 그런 애니까 그러려니 하세요. 1학년 때부터 애들 괴롭히고 그랬는데 공부 잘하고 잘사니까 선생들이 모른 척 넘어가 준 거예요. 근데 웃긴 건, 지금은 개 왕따래요. 예전에 같이 다니던 무리한테 팽당한 거죠. 불쌍해서 좀 잘해 주려고 해도 재수 없게 구니까 이제는 다들 모른 척해요.

하여튼 옛날에 그렇게 애들 괴롭히고 다니더니 지가 왕따될 줄 누가 알았겠어요. 지금은 공부 쫌 잘하고 왕따당하는 재수 없는 놈이니까 그냥 넘어가셔도 된다고요. 존재감 제로, 신경 끄세요. 뉴스에 우리 학교 건물 나오면서 학생이 교사를 성추행했다느니 이런 얘기가 나오는 건 보고 싶지 않아서요.

오랜만에 재미있는 수업이었어요.

메일함 꼭 확인요!

2-6 민현민

얼마 전에 내 또래 친척이 죽었다. 그 뒤로 매일 죽는 꿈을 꾼다. 처음에는 무서웠다. 근데 사람은 누구나 죽음을 향해 달려간다는, 우리 할머니가 살아 계셨을 때 자주 했던 말이 떠올랐다.

"그러니까 원 없이 살아, 태어나는 순서는 있어도 가는 순서는 없는 법이다."

맞는 말 같다. 사람 일은 아무도 모르니까. 내가 오늘 죽을지 내일 죽을지는 아무도 모르니까. 어느 날 갑자기 교통사고로 죽을 수도 있고 강도한테 납치돼서 산에 암매장될 수도 있고 학질모기한테 물려 말라리아로 죽을 수도 있고 집에서 티브이 보다가 심장마비로 죽을 수도 있다.

이런 무서운 생각을 하다가 잠이 들면 꼭 죽는 꿈을 꾼다. 죽는 순간 화들짝 놀라 눈을 번쩍 뜨곤 하는데 그럴 때마다 나는 나 자신에게 이렇게 묻는다.

'지금 죽어도 괜찮겠어?'

나는 내일도 학교에 가서 영어 단어를 외우고 수학 문제를 풀 것이다. 친구들과 경쟁하고 몇 년 뒤에 있을 수능을 준비할 것이다.

내일 죽는다면 왜? 그 많은 학원에 왜? 도대체 왜?

이런 생각이 들 때마다 나는, 잠을 잘 수가 없다.

김정훈

야한 꿈을 자주 꾼다.

나는 청소년이다.

고로 프로이트는 천재다!

김진평

예지몽 이야기를 해 보겠다.

부모님과 멀리 떨어져 사는 딸이 있었다. 어느 날 꿈에 고향 집에서 자주 오가던 길이 보이기에 이상한 기분이 들어 아침에 일어나자마자 집으로 전화를 걸었다. 그러자 새벽에 아버지가 그 길에서 차 사고로 돌아가셨다는 소식을 들었다고 한다.

한 남자는 조상님이 나타나 엽전 몇 닢을 주는 꿈을 자주 꾸었다. 엽전은 대개 한 개나 두 개였는데 그럴 때마다 친한 사람이 죽거나 크게 다쳐서 돈을 쓰게 됐다. 엽전이 한 개일 때는 누가 다치거나 먼 친척이 죽을 때가 많았고 엽전이 두 개일 때는 가까운 친구나 친척이 죽을 때가 많았다. 이 남자는 지금도 엽전 꿈을 꿀까 봐 조마조마한 마음으로 잠들곤 한다.

본론으로 들어가자면, 이런 이야기를 들으면 요즘 아이들 입에 오르내리는 제3의 눈이 떠오를 것이다. 일명 개안이다. 이는 듣고 말하는 방법 외에 마음으로 소통하거나 상대방을 투시하는 능력을 말한다. 한 단계 뛰어넘어서 어디가 아픈지도 알 수 있다. 이런 능력은 오래전 사람들끼리 소통하는 방법 가운데 하나였는데 듣고 말하는 의사소통보다 어렵고 복잡하다는 이유로 서서히 사라졌다고 한다. 흔히 말하듯 진화 과정에서 퇴화한 것이다. 하지만 인간에게 꼬리가 있었던 흔적이 꼬리뼈로 남아 있듯이 제3의 눈도 그 흔적이 남아 있다. 바로 예지몽이다.

예지몽은 제3의 눈이 인간에게 존재했음을 증명하는 유일한 흔적이다. 사람들은 이 흔적을 쫓아 제3의 눈을 다시 찾으려 노력하고 있다. 하지만 쉽지 않다는 것을 시도해 본 사람들은 잘 알고 있을 것이다. (물론 나는 열네 살에 제3의 눈을 가졌다.) 그래서 이 능력을 다시 키우려면 예지몽, 즉 꿈을 연구할 필요가 있다. 과학적이고 체계적인 연구를 통해 사람들에게 인간의 능력은 한계가 없다는 것을 보여 주어야 한다. 정신이 나약한 사람들에게는 더욱 체계적인 교육과 주의가 필요하다. 무작정 제3의 눈을 가지려 한다면 큰 혼란과 고통을 겪을 수도 있기 때문이다. (실제로 나는 개안을 시도하다가 정신 이상을 보이는 사람도 몇 명 보았다.)

다시 말하지만 우리는 정신을 향상시키기 위해 꿈을 연구해야 한다. 예지몽 연구를 통해 마음으로 소통하는, 제3의 눈이라는 뛰어난 소통 방법을 다시 찾아야 할 것이다. 딸이 아버지의 죽음을 꿈으로 예지했듯이 우리도 미래에는 꿈이라는 언어로 소통하게 될 것이다.

나는 이 일이 인간에게 꼭 필요하다고 생각한다. 그래야 수업 시간에 김지택처럼 안타까운 질문을 해 대는 인간이 줄어들 것이기 때문이다. (물론 궁금증을 해결하려는 자세는 바람직하다고 생각한다. 그 의도가 문제일 뿐.)

글을 마치며 내 글이 김서형 선생님의 연구에 큰 도움이 되었으면 하는 바람이다. 혹 논문이나 연구 자료가 필요하다면 기꺼이 이 글을 써도 좋다는 말을 남기고 싶다. 또한 연구에 도움이 된다면 내가 가진 경험, 정보 등을 알려 드릴 수 있고 제3의 눈도 보여 드릴 수 있다는 점을 더불어 전한다.

메일: zen92**@hanmail.net

전화번호: 010-9309-****

페북이나 카스도 열려 있고 항상 이용 가능함.

꿈에 관한 보고서

교사 김서형

아이들은 전반적으로 한곳으로 달려가고 있었고 주의를 돌리기가 쉽지 않아 보였다. 대부분의 아이들이 특강 시간 내내 영어 단어를 외우거나 학원 숙제를 하는 모습이었고, 그러는 데 익숙해 보이기도 했다. 이런 아이들에게 '이것 좀 들어 볼래?'도 아니고 '시험에 안 나오지만 이것 좀 들어 봐!' 하고 말하기는 무리인 것 같았다. 입시 제도에 묶여 있는 아이들의 눈을 입시 외의 다른 것으로 돌리기란 결코 쉬운 일이 아닌 듯했다.

그런 면에서 대만에서 일고 있는 교육 정책의 변화는 많은 것을 생각하게 한다. 한 교육학자의 제안으로 시작된 시험 없는 교육은 한 인간이 살아온 자취를 성적으로 결론짓지 않으며 더욱 폭넓은 삶을 이야기한다. 입시 제도에 병들어 가는 아이들의 현실을 묵과해 왔던 눈과 귀가 모여 여론을 형성한 것이다. 우리처럼 대학 입시를 향해 달려가며 아이들을 성적으로 재단했던 나라이기에 더욱 놀라운 변화가 아닐 수 없다.

이러한 이웃 나라의 변화와는 반대로 얼마 전 우리나라 아이들의 철학적 사고 능력이 유럽 아이들의 고작 10분의 1도 안 된다는 기사를 보았다. 기사 끝에 '우리 아이들도 철학적 사고를 한층 더 끌어올려야겠다.'라며 강조해 적고 있었는데 우리나라 아이들의 실정을 조금이라도 진지하게 이해한다면 '우리 아이들도 철학적 사고를 가졌으면 좋겠다.'라고 적었어야 하지 않을까. 사고의 깊이를 논하기 전에 사고의 방향이 어느 쪽으로 흘러가는지, 왜 그렇게 될 수밖에 없는지 먼저 생각해 봐야 할 듯하다.

여기 입시에 몰두하는, 지금도 몰두하고 있고 앞으로도 몰두할, 그러면서도 현실을 부정하는 부분에서 일맥상통하는 두 아이의 글을 첨부한다. 입시 제도라는 현실에 내던져진 아이들의 꿈에서 우리는 무엇을 보고 느껴야 할까. 꿈을 잊고 사는 아이들의 무의식이 꿈꾸기를 희망한다. 그것이 꿈(dream)이든 꿈(vision)이든.

조조

나는 매일 똑같은 꿈을 꾼다. 꿈은 대개 이런 내용이다.

아침에 일어나 세수를 하고 교복을 입고 집을 나선다. 0교시가 사라졌다고 말하는 사람들 틈에 끼어 만원 버스를 타고 학교로 간다. 0교시부터 영어 단어를 외우고 1교시가 시작되면 잔다. 2교시에도 자고 3교시에도 자고 4교시에는 조금 깨어 있다가 점심을 먹는다. 나머지 시간도 내내 자고 학원에 간다. 학원에 간 순간 나는 눈이 커지고 정신이 말똥말똥해진다. 아빠, 엄마가 열심히 일한 돈으로 비싼 학원비를 내고 있기 때문이다. 벌써 다섯 번이나 옮겨 다닌 이런 비싼 학원에서 선행 학습을 네 번 정도 끝마치면 비로소 안심을 하고 다시 다섯 번째 선행 학습을 시작한다. 그러다 새벽 2시가 되면 학원 버스를 타고 집으로 돌아온다. 아파트 현관에서 비밀번호를 누르고 깜깜한 내 방으로 들어가 그대로 침대에 쓰러진다.

그리고 나는, 꿈에서 깨어난다.

…

잠깐 졸았을 때 꿈을 꾸었다.

나는 강당에 있었다. 누군가 무의식이니 성적 불만이니 프로이트니 하는 이야기를 늘어놓고 있었다. 그때, 그놈들이 내 주위로 모여들었다. 거머리처럼 들러붙는 애벌레들. 그것들은 빨간 눈을 가지고 있다.

"저 선생, 처녀일까?"

멍청이들아, 아니지.

"그럴 리가 있냐."

"처녀일 수도 있지, 왜. 저렇게 아는 척하는 여자를 누가 좋아하겠냐."

나는 속으로 비웃었다. 남자들은 그런 거 안 가린다, 한심한 것들아.

"예쁘면 땡이지, 븅아."

"야, 팬티 색을 보면 알 수 있대. 예전에 잡지에서 읽었는데 파스텔색이면 처녀, 원색이면 처녀 아님이래. 믿거나 말거나."

미친 새끼들…….

그것들은 낄낄거리며 웃다가 갑자기 나를 올려다보았다.

"대장도 궁금하지?"

"대장이 물어보면 말해 줄걸?"

"맞아, 대장이라면 알려 줄 거야."

녀석들이 나를 향해 웃어 보였다. 익숙한 웃음이었다. 나는 순식간에 검은 외투를 둘렀다. 검고 딱딱한 껍질이 등을 감싸고 가슴까지 싸안았다. 나는 어느새 대왕 풍뎅이가 되어 날카로운 두 팔로 녀석들을 위협했다. 녀석들은 빨간 눈을 굴리며 내게 머리를 조아렸다. 만족스러웠다. 나는 당당하게, 날카로운 팔을 휘두르며 앞으로 나갔다. 눈앞에 처녀가 아닌 여자 선생이 서 있었다.

— 지금 입고 있는 팬티, 무슨 색이야?

갑자기 나는 사람이 되어 말을 하고 있었다. 단단한 껍질 속에서도 나는 여전히 사람이었다. 강당에 있는 작고 볼품없는 애벌레들이 웅성거렸다. 귀에 거슬리는 소리로 끽끽거리고 스스스거렸다. 나는 두꺼운 껍질 속으로 몸을 더 깊이 파묻었다.

— 색깔 말이야, 팬티 색. 파스텔색인지, 빨강, 파랑, 노랑인지.

처녀가 아닌 여자 선생은 나를 빤히 올려다보았다. 한참 동안 대답이 없기에 나는 여자 선생이 입고 있는 치마를 들어 올려야겠다고 생각했다. 그러기 전에 잠깐 교실에서 끽끽거리는 애벌레들을 휘둘러보았다. 순식간에 빨간 눈빛으로 변한 애벌레들이 어서 그렇게 하라고 나를 부추겼다. 나는 흡족한 표정으로 다시 여자 선생을 보았다. 유일하게 여자 선생만 빨간 눈이 아닌 까만 눈이었다. 어쩌면 선생도 나와 같은 성충일지도 모른다는 생각이 잠깐 들었다.

— 그것만 알려 주면 들어갈래?

— 응.

— 하얀색. 됐니?

나는 크고 단단한 외투를 쫙 폈다. 애벌레들이 나를 향해 쉼 없이 머리를 조아렸다. 가슴을 펴고 성큼성큼 걸어가 자리에 앉았다. 앉는 순간 내 외투는 다시 얇아지고 오그라들었다.

종이 울리고, 나는 잠에서 깨어났다.

연금술사의

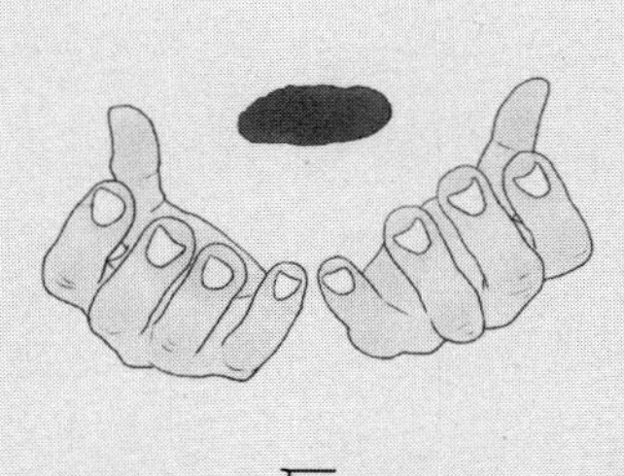

돌

까맣게 잊고 있었는데, 아버지가 돌아왔다. 뭔가 새로운 것을 발견했는지 폭삭 늙어 버린 얼굴이 밝아 보였다. 엄마 말처럼 또 병이 도졌는지, 아버지 말처럼 이번엔 진짜인지 알 수 없어도 그 돌은 아니었으면 했다. 하지만 아버지의 홀쭉한 주머니에서 짤랑거리는 소리가 들려왔다. 달의 기운을 품었다는 그 까만 돌이 다시 나타난 게 틀림없었다.

그러니까 정확히 일 년하고도 삼 개월 전 평범한 보험 회사 직원이었던 아버지는 도인같이 머리도 하얗고 수염도 하얀 고객을 만났다. 어쩌다 온몸의 털이 하얗게 세어 버린 그 고객은 탁월한 외모로 홀연히 다가와 아버지에게 까만 돌을 건네며 하늘을 가리

켰다. 아버지는 그 돌을 요리조리 굴려 보고 만져 보고 품어도 보고 살펴보다가 홀린 듯 산으로 들어가 버렸다. 그리고 일 년 삼 개월이 조금 지난 오늘, 난데없이 아버지가 돌아온 거였다.

"여, 아들. 많이 컸는데?"

엄마와 나는 떡 벌어진 입을 다물지 못했다. 나는 주방 한쪽, 식탁 귀퉁이에 들러붙어 꼼짝도 못 하고 어정쩡하게 서 있었다. 한참을 그러고 있다가 아버지의 손끝이 내 머리에 닿는 순간, 짜증인지 당혹감인지 알 수 없는 기분이 솟구쳐 올랐다. 하지만 내 기분이야 어떻든 엄마는 뭔가를 마구 집어 던졌다. 내리내리 아무 말도 없이 깨지지 않는 살림만을 골라서. 아마도 그것은 또 아버지를 받아들여야 한다는 분노의 표출인 것 같았다. 그 분노는 내가 방으로 들어오고 나서도 한동안 계속되었다.

얼마나 시간이 지났을까, 아버지가 슬며시 내 방으로 들어왔다. 아버지는 하룻밤 혹은 며칠 밤 고생해서 조금 늙은 것이 아니라 오랜 세월 태양과 매연과 사람 사이에서 천천히 늙어 간 얼굴로, 정말 딱 십 년은 늙어 버린 얼굴로 내 앞에 앉았다. 그러고는 주머니에서 뭔가를 주섬주섬 꺼냈다.

"상태야, 이것 봐 봐."

아버지는 아들의 학교생활이나 성적에 대해서는 묻지도 않고 작은 주머니를 벌려 안을 보라는 눈짓을 했다. 어언 일 년 만에 집에 들어온 아버지와 아들의 대화치고는 좀 많이 언짢았지만 나는 얌전히 주머니 안을 들여다보았다. 그 안에는 아버지를 홀려 산으로 들어가게 하고 우리 집을 잠깐 흔들어 놓았던 까만 돌이 열댓 개 들어 있었다. 얼굴이 사납게 구겨지면서 긴 한숨이 새어 나왔다.

"이게 뭐? 하나도 안 궁금하거든. 나가, 나 공부해야 돼."

"매정한 놈. 꼭 제 엄마 닮아 가지고. 잘 봐, 인마. 이거 그거야."

아버지는 일찍이 들어 본 적 없는 해맑은 목소리로 덧붙였다.

"연금술사의 도—올. 내 운명의 돌이라고, 인마."

나는 내 귀를 의심했다.

"뭔 돌?"

아버지는 까만 돌이 달의 기운을 머금고 있다고 했다. 그 기운을 받는 순간 달처럼 평온하고 차갑고 맑은 기운을 느낄 수 있다고 했다. 이름하여 평온을 찾아 주는 까만 돌. 세련된 말로는 바이오세라믹 뭐뭐라고 한단다. 아주 작은 조각만 몸에 지니고 다녀도 만병을 낫게 하고 젊음을 되찾아 주며 감기는 물론 작은 병쯤은 잊어버려도 좋다고 했다.

"안 믿어지지? 나도 처음에는 안 믿었어. 근데 아니야. 이번엔 진짜야, 진짜."

생각해 보면 아버지는 내가 어렸을 때부터 좀 유별난 사람이었다. 영업 사원을 해도 꼭 이상한 것만 팔았다. 뱀술에 도롱뇽 술, 힘을 불어넣어 준다는 그림에 귀신 쫓는 부적, 온갖 병을 낫게 해

준다는 신비의 물까지 종류도 다양했다. 아버지는 새로운 것을 팔게 될 때마다 이번엔 진짜야, 진짜, 하고 말했다.

종교를 믿을 때도 마찬가지였다. 노란 뱀을 숭배하기도 했고 깽깽이 같은 소리로 주문을 외는 종교 단체에 들어가기도 했다. 손발은 물론 온몸을 씻지 못하게 하는 종교도 믿었고 머릿속 어딘가에 사는 그분을 따라 동굴에 들어간 적도 있었다. 아버지는 두 명의 교주가 감옥에 갇히고 티브이에 몇 번 얼굴을 내비치고 나서야 종교를 끊었다. 담배보다 중독성이 강하며 금단 현상 비슷한 것도 있다고 했다. 아버지는 이 모든 과정을 진화라고 불렀다. 그런저런 경험을 통해 수없이 진화한 아버지는 이런 결론에 이르렀다.

"상태야, 종교란 말이다, 마음이 허할 때 찾아오는 거야. 우리가 밤에 허하면 라면을 찾듯이 종교도 마음이 허할 때 찾는 거야. 라면을 먹으면 배부르고 기분 좋고 든든하잖아. 근데 아침에 일어나면 속이 쓰리고 얼굴이 붓지? 종교도 마찬가지야. 시간의 문제라는 뜻이지. 밤이 중요하다고 생각되면 밤을 선택하고 아침이 중요하다고 느껴지면 아침을 선택하면 되는 거야. 아버지 말 명심해. 종교는 라면 같은 거야."

아버지는 내가 나이 들어서도 종교 문제로 고민할 일은 없을 거라고 했다. 모든 걸 앞서서 알아봐 준 아버지에게 고마워해도 좋다고 했다. 나는 덤덤한 얼굴로 고개를 끄덕였지만 아버지 말에 동의하는 건 아니었다. 그때도 나는 내 아버지가 그런 고마운 일을 할 사람이 아니라는 걸 잘 알고 있었다.

“걱정하지 마, 인마. 곧 사업을 시작할 거니까. 들어 봐. 이 돌을 어떻게 할 거냐 하면, 가루로 만들 거야. 그런 다음에 지갑이나 벨트, 신발 밑창에 얇게 펴 바르는 거지. 그러면 사람들은 걸어 다니면서 달의 기운을 받는 거야. 그럼 그냥 대박 나는 거지.”

아버지는 평소 버릇대로 얼굴을 가까이 들이밀고 눈을 동그랗게 뜬 채 목소리를 높였다. 그렇게 한참 동안 침을 튀기다 이렇게 끝을 맺었다.

“노인들은 진짜 얼마나 반갑겠어. 이건 하늘이 준 약이거든. 여기저기 쑤시는 노인들 눈이 아주 이만해질 거다.”

나는 내 귀를 의심했다. 아버지가 사기꾼이 돼 버린 게 아닐까 가슴이 철렁했다. 노인정에서 밑도 끝도 없이 춤을 추다가 할아버지, 할머니에게 옥 장판을 안기는 아저씨들이 떠올랐다. 경찰서나 티브이에서 헬륨 가스를 마신 듯한 목소리로 “아, 노인네들 좋고 나도 좋으면 됐지, 뭐가 문제요?”라고 당당하게 말하던 사기꾼들. 나는 벌써 변조된 아버지 목소리를 상상하고 있었다.

“한 번만 더 티브이에 나오면 엄마가 이혼한댔어.”

“알아, 인마. 근데 이번엔 괜찮아. 그럴 일 없어.”

이렇게 말하고 티브이에 나온 게 벌써 두 번째다. 음성 변조한 것까지 합하면 세 번째던가.

태평하게 웃고 있는 아버지를 보고 있으니까 뒤늦게 머리끝이

뜨끈해졌다. 화라는 감정이 뭉툭해지는 건 생각보다 쉬운 일이 아닌 모양이다. 평범한 가정 되기가 이렇게도 힘든 걸까. 일 년 만에 돌아와서 한다는 소리가 연금술사의 돌이라니. 뜨뜻한 콧바람이 나오려는데 퍼뜩 그날의 교훈이 떠올라 다시 긴 숨을 내뿜었다.

아버지가 무당을 쫓아다니며 부적을 팔고 다닐 때였다. 내가 다니는 중학교까지 찾아와 부적을 홍보하던 그날, 나는 욱하는 마음에 가출을 시도했다. 아들이 가출까지 했으니 아버지도 뭔가 느끼겠지, 하는 마음으로 집에 전화를 걸었지만, 수화기 너머로 들려오는 아버지 목소리에 정신이 번쩍 들었다. "가출도 나쁘지 않아." 그때 나는 일 분도 생각하지 않고 다시 집으로 돌아갔다.

사람은 변하지 않는다는 말, 그건 진리 같았다. 결국 변한 건 엄마와 나였다. 포기는 생각보다 사람을 편안하게 만들었고 정신 건강에도 좋은 듯했다. 평범한 집이었으면 하고 바랐던 마음을 포기하고 나니까 평범한 가정이 뭐 그리 중요한가 하는 생각이 들었다. 그동안의 내 모습이 미련해 보이기까지 했다. 그날의 교훈을 떠올리며 다시 호흡을 가다듬고 가만히 귀를 꽉 막아 버렸다.

그날 이후 아버지는 내내 다락방에서 지냈다. 엄마와 크게 싸웠거나 일을 저질렀을 때, 일테면 뉴스에 나왔거나 종교 단체에 통장을 투척했을 때, 아버지는 몇 날 며칠 혹은 몇 달을 이불처럼 껌처럼 다락방 바닥에 붙어 있었다. 이번에도 크게 다르지 않았다. 바닥에 붙어 있다가 가끔 까만 돌을 짤랑거리며 다락방을 돌아다녔다. 빠그락빠그락, 돌들을 양손에 두 개씩 호두알처럼 굴리고 다녔다.

그러다 갑자기 우리나라에 있는 온갖 택배 회사의 온갖 택배 기사들이 우리 집 문을 두드리기 시작했다. 곧 크기도 다양한 상자들이 다락방을 가득 채웠다. 아버지는 다락방에 콕 틀어박혀서 사그락사그락, 투닥투닥, 묘한 소리를 내 가며 뭔가를 만드는 것 같았다. 그 무렵 아버지는 시간이 무척 아까웠는지 밥도 한 번에 몰아 먹고 화장실도 한 번에 몰아서 갔다. 물론 잘 씻지도 않았다. 그리고 며칠이 지난 어느 날 아버지는 내게 이렇게 말했다.

"상태야, 사람이 늙지 않으면 어떨 거 같으냐?"

걱정이 밀려들었다. 평범한 가정은 차치하더라도 시끄러운 집은 아니었으면 했다. 더도 말고 덜도 말고 딱 조용하기만 해라, 이제는 그것마저 무너지려는 걸까. 혹 연금술사의 돌이라는 게 종교보다 중독성이 더 강한 것일까. 나는 애써 태연한 척 책에서 눈도 떼지 않고 물었다.

"불로초라도 만들었어?"

"오, 그래. 그런 이름도 괜찮겠다."

아버지는 밝은 얼굴로 손에 든 동그란 병을 보여 주었다. 그 병 안에는 초록색 가루가 날아다니고 있었다. 돌가루라고 했다. 병 너머로 아버지의 얼굴이 심하게 일그러져 보였다. 나는 그 얼굴을 멀뚱히 바라보았다. 아들이 아버지의 정신과 육체적 힘을 뛰어넘을 때가 가장 힘든 시기라고 들었다. 그 시기는 이미 오래전에 지났다고 생각했는데 왜 또다시 힘이 드는 걸까.

"엄마한테는 말하지 마. 또 맞을 거야."

"음…… 역시 우리 상태밖에 없네. 그렇지만 주름도 말끔히 없애 준다고 하면 네 엄마도 좋아하지 않을까? 요즘 네 엄마 눈가에 주름이 자글자글하던데."

"더 많이 맞을걸."

"음…… 그럴까?"

아버지는 초록색 돌가루가 든 유리병을 이리저리 흔들었다. 얼핏 보니 돌가루는 묘하게도 흔드는 방향과는 반대로 기울고 있었다. 얼른 책으로 눈을 돌렸다. 아버지의 장난 같은 마술에 빠지고 싶지 않았다. 내 머릿속에 아버지의 엉뚱함이 조금이라도 비집고 들어오는 걸 참을 수 없을 것 같았다.

하지만 그날 밤, 나는 아주 오묘한 꿈 하나를 꾸었다. 아버지가 나비가 되어 방 안을 훨훨 날아다니고 있었다. 좁은 방 안을 자유롭게 너울거리는 나비는 분명 눈부셨다. 인정하고 싶지는 않지만 그 모습은 무척 아름다워 보였다.

그 꿈과 맞물려 아버지는 정말 사업을 시작했다. 초록색 돌가루를 보여 주었을 때와 같은 표정으로 큼직한 상자를 들고 내 방으로 들어왔는데, 상자를 열자 주먹만 한 하트부터 눈에 들어왔다. 그중 하나를 꺼내 보니 남성용 사각팬티였다. 사각팬티 엉덩이 한

쪽마다 하트가 하나씩 큼지막하게 박혀 있었는데 봉긋한 엉덩이를 더 도드라지게 해 줄 그 하트에는 눈부시게 반짝이는 초록색 돌가루가 뿌려져 있었다. 밑에는 이런 문구도 쓰여 있었다. '사랑의 돌가루를 그대에게'. 나는 그때 두 가지 결론을 내렸다. 엄마에게 이걸 보여 줄 수 없다는 것과 아버지는 평범해질 수 없다는 것.

사각팬티가 실제로 잘 팔렸는지는 알 수 없지만 아버지는 그 무렵 무척 바빠 보였다. 벨트, 양말, 신발 밑창은 물론이고 문고리, 베개, 주걱 손잡이 등 돌가루를 안 뿌리는 곳이 없었다. 우리 집에는 돌가루가 뿌려진 물건이 하나둘 늘어 갔고 그 덕에 나도 뭔가가 넘쳐나게 많아졌다. 하나같이 한숨만 나오는 것들이었지만 언젠가는 끝날 일이니까, 가끔 엄마가 그 물건들을 다락방으로 날려 보내는 걸 그저 가만히 지켜만 보았다.

아마 그맘때 그 일이 일어났던 것 같다. 평소와 다름없이 학원을 마치고 집에 돌아와 보니 어울리지 않게 아버지가 티브이를 보고 있었다. 흔치 않은 일이라 멍하니 쳐다보고 있으니까 티브이에서 귀에 익은 목소리가 들려왔다. 아버지가 화면에 나오고 있었다. 나는 입을 떡 벌리고 서서 티브이를 보았다. 아버지가 어느 케이블 티브이 프로그램에 나와서 연금술사의 돌에 대해 설명하고 있었다. 그것도 우리 집 마루를 배경으로.

나는 아버지에게서 엄마한테 절대로 들키지 않겠다는 다짐을 받고 방으로 들어왔다. 그런데 며칠이 지난 어느 날 집에 돌아와 보니 커다란 카메라가 빨간 불빛을 반짝이며 집 안을 돌아다니고 있었다. 그 혼잡함 속에 아버지가 발그레한 얼굴로 호탕하게 인터뷰를 하고 있었다.「세상에 뭔 일이」라는 프로였다.

"아, 지금 입어 보세요. 착용감은 말할 것도 없고 다음 날에는 거기로 온 기운이 몰려들어서 아주 불끈불끈해진다니까."

아버지 목소리가 쩌렁쩌렁하게 울려 퍼졌다. 나는 방 안 침대에 앉아 고개를 푹 숙였다. 또 시작이구나. 이제 엄마는 술을 진탕 마시고 이혼 타령을 할 거고 아버지는 다시 다락방에 앉아 나를 불러 댈 거였다. 아버지는 그새 그걸 잊었을까. 나는 가만히 콧바람을 내뿜으며 밖에서 들리는 소리에 집중했다.

"물건을 파는 것도 중요하지만 이건 믿음이거든. 믿지 않으면 효과를 못 보지. 들어 봐요. 내가 이걸 어떻게 발견했느냐 하면, 도인한테 이 돌을 받았단 말이에요. 그 도인 말이 돌이 주인을 찾아서 간다는 거예요. 그러니까 그 도인이 나한테 이걸 준 게 아니라 돌이 나를 찾아왔다 이 말이에요."

아버지……. 저절로 누군가를 찾게 되는 이야기였다. 아버지는 목소리가 점점 커지고 있었다.

"그래, 그 돌을 들고 도인이 말한 산으로 들어갔더니 세상에, 돌에서 빛이 나는 거예요. 뿌옇게 흐린 빛 말이에요. 그래, 그걸 따라갔더니 어이쿠, 빛을 내는 돌들이 사방에 콕콕 박혔네. 그 오밤중에 달처럼 빛을 내는 돌이 바닥에 깔렸단 말이지요. 그래, 삶은 달

갈에서 노른자 빼먹듯 그 돌들만 쏙쏙 빼 왔지, 뭐. 생김새요? 그 도인이 준 거랑 똑같이 생겼지. 내가 후배한테 부탁해서 성분 분석까지 의뢰했다니까. 보통 짱돌이랑은 성분부터가 달라요. 탄소 연도가 다르다니까. 증거? 거참, 기다려 봐요. 곧 결과가 나온다니까. 이건 분명히 달에서 떨어져 나온 파편이에요. 달 조각. 그러니까 이놈이 지구랑 맞붙어서 인력을 가진단 말이에요. 독립적으로 끌어당기는 힘이 있다는 얘기지. 무슨 소리냐 하면, 스스로 동동 뜰 수 있다는 얘기지요. 자가 부양. 자가 부양이 가능하다는 건 중력을 이긴다는 뜻이고 그럼 나이도 시간도 거스를 수 있다는 뜻이지요. 그게 포인트입니다."

딱 들어도 말이 안 되는 이론 같았지만 분위기는 좋은 것 같았다. 이대로 방송이 된다면 케이블도 아니고 공중파니까 조용하게 지내는 건 무리였다. 내 의지와는 상관없이 우리 집이 통째로 재미난 이야깃거리가 되어 사람들 입에 오르락내리락할 거였다.

이쯤에서 가족 구성원의 한 명으로서 문을 박차고 나가 아버지의 입을 막아야 하나, 잠깐 생각했다. 하지만 곧 머리를 떨궜다. 역시 좆 됐다. 침대에 벌렁 누워 시계를 보았다. 곧 엄마가 퇴근할 시간이었다. 골치 아픈 일은 엄마한테 넘긴다 쳐도 조용한 저녁을 보내기는 틀린 것 같았다. 젠장, 조용한 집도 개나 줘 버리자, 한동안 잠잠하던 내 뇌에서 짜증이 팍팍 뿜어 나오고 있었다.

그때 철컥, 현관문 열리는 소리가 들렸다.

"여, 당신 왔어? 당신 내 덕에 방송 나오게 생겼어."

엄마가 집에 돌아왔을 때에도 카메라들은 여전히 좁아터진 집을 이리저리 돌아다니고 있었다. 나는 문틈 사이로 엄마 미간에 주름이 깊이 패는 걸 보았다. 엄마는 아무런 미동도 없이 한동안 현관에 서 있다가 방으로 들어갔다. 그러고는 유유히 주방으로 나와 당근 상자를 꺼냈다. 의외였다, 이렇게 황당한 순간에 당근을 꺼내다니. 아무래도 뭔가 잘못돼 가고 있는 것 같았다.

엄마는 아버지가 유일하게 챙기는 채소인 당근을 꺼내 씻었다. 바이오 세라믹 어쩌고 하는 돌보다 훨씬 오래전부터 변함없이 챙겨 온 아버지의 당근을 상자에서 꺼내 닦고 씻고 자르더니 급기야 갈기 시작했다. 웽웽웽, 윙윙윙, 웅웅웅. 믹서기 돌아가는 소리가 묘하게도 으스스하게 들렸다. 호기롭게 떠들던 아버지 목소리는 온데간데없고 방송국 사람들도 조용하게 이야기를 나눌 뿐 아까처럼 시끄럽게 집 안을 돌아다니지는 않았다.

얼마나 시간이 지났을까, 낭랑한 엄마 목소리가 들렸다.

"드시죠, 다들."

엄마는 당근 주스와 함께 오래전에 만들어 놓은 당근 쿠키도 꺼내 놓았다. 아버지도 긴장이 풀렸는지 당당한 목소리로 방송국 사람들을 불렀다. 사람들도 얼굴을 풀고 감사하다느니 색깔이 예쁘다느니 하는 말들을 날리며 당근 주스를 마셨다. 당근이 달다, 의외로 맛있다, 이런저런 찬사 속에서 다시 엄마의 낭랑한 목소리가 들렸다.

“당신도 먹어. 이제 이 집에 당신 덕 본 거 하나도 없으니까 오래 오래 음미하면서 다 먹고, 나가.”

그 순간 사방이 싸늘해졌다. 이 집 한 귀퉁이라도 방송에 나가면 고소하겠다는 말도 들려왔다. 엄마는 다짐하듯 그렇게 말하고는 유유히 방으로 들어가 버렸다. 곧 방송국 사람들도 주섬주섬 장비를 챙겨 나갔고 아버지 혼자 마루에 덩그러니 앉아 먹다 남은 당근 주스가 바닥에 깔린 컵들을 물끄러미 내려다보았다. 그러고 앉아 코끝을 긁적이는 모습이 참으로 처량해 보였지만 위로해 주고 싶은 마음은 눈곱만큼도 들지 않았다.

“상태야, 너 엄마가 아빠랑 따로 살면 어떨 거 같아?”

다음 날, 엄마는 나를 불러 담담하게 물었다.

“이혼하려고?”

나도 담담하게 되물었다.

“그냥 물어보는 거야. 너도 이제 다 컸고. 몇 번 나갔다 오면 정신 차릴 줄 알았더니 이젠 한계다. 상태 너는 엄마랑 지내고. 어때?”

“엄마가 알아서 해. 난 관심 없어.”

“이게 관심 없다고 할 문제니? 매일은 아니더라도 가끔 보는 얼굴이 몇 년에 한 번 보는 걸로 바뀔지도 모르는데. 하긴 그게 그건가……. 미안하다, 아들. 화목한 집은 못 돼도 정상적인 집에서 자라게 하고 싶었는데 그것도 쉽지 않네. 그렇지만 엄마 이해하지? 나도 꽤 노력했어."

"알아. 어린애도 아니고."

"그래, 다 컸네, 우리 아들. 네 아빠 착한 거, 그거 하나로 이제껏 살았는데, 살아 보니까 착하고 무능한 사람이 세상에서 제일 나쁘더라."

"언제는 착한 거 하나면 된다며."

"그게 언제 적 얘기라니. 아마 그때는 결혼반지가 아직 있었겠지. 네 아빠가 결혼반지를 동굴에 산다는 교주한테 갖다 바쳤을 때 그 이론은 끝났어. 그때 네 아빠 말이 걸작이었는데. 그 교주가 동굴에 사는 게 불쌍해 보였다더라. 어이가 없어서. 나는 안 불쌍하고 교주는 불쌍해 보였나 보지."

엄마는 피식 웃는가 싶더니 금세 무덤덤한 얼굴로 중얼거렸다.

"진작 결단을 내렸어야 했는데 괜히 뭉그적거린 게 아닌가 싶다."

평소에도 이혼한다는 말을 밥 먹듯이 하던 엄마였다. 하지만 그건 술에 취해서였고 아버지를 향해서였다. 술도 먹지 않은 엄마가 나한테 이렇게 말하기는 처음이었다. 그때 아버지의 다락방은 유난히 조용했다. 착각이겠지만 아주 작은 한숨 소리를 들은 것 같았다.

다음 날 아침, 당연하다는 듯 아버지는 사라지고 없었다. 조그만 다락방에 붙어 있어야 할 아버지가 그림자조차 보이지 않았다. 엄마는 평소와 다름없이 직장에 나갔고 나도 학교에 갔다. 아버지도 평소와 같아야 했지만 내가 학원에서 돌아온 뒤에도 돌아오지 않았다. 엄마와 나는 익숙하게 아버지 없는 식탁에 앉아 밥을 먹었다.

"너무 심하잖아. 벌써 며칠째 당근 반찬이야."

"네 아빠를 탓해. 그러게 누굴 열받게 하라니. 「세상에 뭔 일이」인가에 방송 나왔으면 네 아버지 벌써 초상 치렀어."

엄마는 당근 주스를 만들고 남은 당근을 어떻게든 빨리 없애 버리고 싶어 했다. 엄마와 나는 주홍색만 가득한 밥상 앞에 앉아 오래도록 아자작아자작 당근을 씹었다.

"그래도 당근으로 구박하는 건 치사했지, 뭐."

"구박 안 했어도 일 년씩이나 집 나가 있었는데, 구박까지 했으니까 이제 몇 년이 걸릴지 모르지. 잘됐어."

앞으로 내 인생에서 아버지라는 이름이 사라질지도 모른다는 생각이 들었다. 당근을 씹으며 아버지가 없는 내 삶을 곰곰이 생각해 보았다. 그리 큰일은 아닌 것 같았다. 어차피 우리 집은 엄마의 수입으로 생활했고 언제나 뭔가에 홀려 있는 아버지는 내 삶을 크게 흔들지 않았으니까. 단지 아직은 있어 주었으면 하는 것이 아버지라는 존재 같았다. 하지만 초등학생도 아니고 사춘기 중학생도 지났으니 어찌 되든 상관없다는 생각도 들었다. 접시에 남은 당근 볶음을 삭삭 긁어 몽땅 입 안에 털어 넣었다.

아버지가 사라지고 며칠이 지난 어느 날, 학원을 빼먹고 집으로 돌아와 보니 대문 앞에 누군가 쪼그리고 앉아 있었다. 아버지가 즐겨 입던 카키색 야상 점퍼가 눈에 들어왔다. 핏줄의 당김인지 무책임한 아버지에 대한 안타까움인지 걸음이 빨라졌다. 그러나 가까이 갈수록 그 처량한 모습에 걸음이 느려졌다. 걸음을 떼어 놓을 때마다 한숨이 절로 나왔다. 무책임하고 무능력하고 비정상적이고 비상식적이며 비과학적이고 착하기만 한……. 어라? 아버지가 아니었다.

나는 그 자리에 우뚝 멈춰 섰다. 중학생 같아 보이는 키 작은 아이가 대문 앞에 오도카니 앉아 있었다. 아이는 아주 큰 옷을 입고 있었다. 나를 빤히 올려다보는 아이 옆으로 살짝 비켜 서서 대문에 열쇠를 꽂았다. 팅, 문이 열리는 순간 아이가 대뜸 이렇게 말했다.

"심부름 왔어. 너희 아버지 오중한 씨 심부름."

그러더니 막 열린 대문 안으로 쏙 들어가 버렸다. 아이는 흙이 잔뜩 묻은 옷이며 양말 차림으로 아무런 거리낌 없이 거실까지 들어갔다. 아버지 심부름을 왔다고 하니 왠지 적절한 옷차림 같기도 했다.

아이를 따라 집으로 들어가 차고 넘치는 당근 주스를 건넸다. 아이는 그걸 받아 숨도 안 쉬고 꿀꺽꿀꺽 다 마시고는 컵을 탁 내려놓았다. 그러고는 거친 손등으로 입가를 슥 닦았다.

"너 우리 아버지 알아? 그 옷, 네 거 아니지?"

"어. 바빠서 못 온대. 너희 아버지."

아이는 대뜸 반말로 대답하고는 식탁에 놓인 당근 쿠키를 우적우적 씹어 먹었다. 그러면서도 눈은 쉬지 않고 집 안을 둘러보았다.

"무슨 심부름인데?"

이렇게 물어도 대꾸도 않더니 내 얼굴을 빤히 쳐다보고는 라면에 눈을 꽂았다. 내가 "라면 먹을래?" 하고 말을 꺼내자 아이는 손가락을 두 개 펴 보였다. 내가 라면 네 개를 끓이는 동안 아이는 젓가락을 쪽쪽 빨고 이빨로 깨물었다. 아무래도 빨리 보내야 할 것 같았다. 아버지와 같은 부류라면 평범할 턱이 없었다. 엄마가 돌아오기 전에는 반드시 내보내야 했다.

김치를 꺼내 놓고 라면 냄비를 식탁에 내려놓자마자 아이는 냄비 뚜껑을 집어 들었다. 그 위에 김치를 크게 한 젓가락 올리고 면발도 수북이 건져 올리더니 김치와 면발을 휘휘 섞어서 입에 밀어 넣었다. 후루룩후루룩, 아삭아삭. 김치 씹는 소리가 유난히 크게 들렸다. 나는 그만 입이 떡 벌어지고 말았다. 아이는 아버지와 라면 먹는 방법이 똑같았다.

아이는 먹는 내내 말 한마디 하지 않고 집중해서 라면을 입 안에 다 쓸어 넣었다. 그러고는 아버지와 꼭 닮은 궤변들을 술술술 쏟아 내더니 중간중간 말이 막힐 때마다 코끝을 긁어 댔다. 라면은 먹는 둥 마는 둥 하고 아이만 빤히 보고 있자니 아이는 어느새 냉장고에서 당근 주스를 꺼내 벌컥벌컥 마시고 있었다.

"자, 이거."

아이는 이제 제 할 일은 모두 끝났다는 얼굴로 옷을 뒤적이더니 안주머니에서 뭔가를 꺼냈다.

"너희 아버지가 너한테 주래."

뭔가 하고 목을 길게 뺐다. 어린아이 머리통만 한 것이 손수건에 싸여 있었다. 손수건을 헤집어 보니 동글납작한 돌멩이와 함께 쪽지가 하나 들어 있었다. 쪽지에는 삐뚤빼뚤 이상한 글씨로 이렇게 적혀 있었다.

잘 간직해라. 연금술사의 돌이시다.

울컥 짜증이 몰려왔다. 일 년 만에 돌아온 집에서 그렇게 홀대를 받고 쫓겨나다시피 나가더니 다시 연락해서 한다는 소리가 또 연금술사의 돌이라니. 괜스레 아이를 흘겨보았다.

"이게 다야?"

"아 참, 하나 더 있다."

아이는 아버지의 다락방에 가야 한다고 했다. 잠깐 머뭇거리다가 사다리를 다락방 문에 걸고 올라가는 길을 만들어 주었다. 아이는 사다리를 잡더니 부들부들 떨며 올라갔다. 그러고는 뒤따라 올라온 나에게 하얗고 아무런 무늬도 없는 수첩을 찾으라고 했다. 한참을 찾아봐도 보이지 않던 수첩을 어디서 찾았는지 아이가 흔들어 보였다. 가만 보니 수첩 주인 이름이 적혀 있어야 할 부분에 '불량인'이라고 적혀 있었다. 수첩을 아이에게 줘도 될까 망설였지만 곧 마음을 고쳐먹었다.

가려는 아이를 붙잡아 당근 쿠키를 주머니 가득 넣어 주었다. 아이는 고맙다거나 괜찮다거나 하는 대꾸도 없이 밖으로 나가 버렸다. 아이가 가고 나자 뭔가에 홀렸다가 깨어난 기분이었다. 아버지가 전하라는 돌이 식탁 위에 놓여 있지 않았다면 이상한 꿈을 꾸었다고 생각할 뻔했다.

아이가 사라진 뒤 돌을 가만히 들여다보았다. 아버지 말대로 연금술사의 돌인지는 알 수 없었지만 작은 꽃 같은 무늬가 군데군데 박혀 있었다. 엉성한 꽃 모양이 아니라 돌에 그림을 그려 놓은 듯 얼추 예쁜 꽃이었다. 아는 꽃이라고는 국화나 장미 정도이지만 그것들을 닮은 것 같기도 했다. 나는 홀린 듯 그 돌을 한참이나 들여다보았다.

"누가 그 아버지에 그 아들 아니랄까 봐."

엄마가 현관에 서서 나를 흘겨보고 있었다. 몇 번이나 나를 부른 모양이었다.

"그거 뭔데?"

아주 잠깐, 엄마에게 심부름 온 아이 이야기를 해야 하나 생각했다. 그러다 이렇게만 말하고 방으로 들어와 버렸다.

"연금술사의 돌이래."

문틈 사이로 엄마의 한숨 소리가 들리는 것 같았다.

가만히 문을 닫고 책상에 앉았다. 멀뚱히 천장을 올려다보고 있으니까 아까 아이가 했던 말들이 하나하나 떠올랐다.

"연금술사의 돌이 진짜로는 뭐였는지 알아? 수은이래, 액체. 그러니까 연금술사의 돌이 아니었던 거야. 그래서 사람들은 연금술사의 돌이 없다고 믿어. 이제 아무도 찾지 않잖아. 내 말은 그래서 다행이라는 거야. 사람들이 어리석어서. 다들 증명하려고만 들거든. 누군가 그게 아니라고 말해 버리면 그걸로 끝인 거지. 사실 우리 눈에 보이는 건 세상의 절반도 안 되는데 말이야."

아이는 진지한 얼굴로 알 수 없는 말을 줄줄 잘도 늘어놓았다.

"한번 불량 인간으로 찍히면 다시 태어나는 쪽이 빨라. 아무도 믿어 주지 않거든. 멀쩡하고 훌륭한 일을 해도 마찬가지야. 하지만 세상은 참 공평한 곳이라서 불량 인간이 되고 나면 아무도 기대지 않아. 그게 끝내주게 홀가분한 거거든. 그렇게 자유로운 영혼이 되고 나면 새로운 눈이 떠지는 거야. 그럼 연금술사의 돌 같은 것도 찾게 되는 거고."

아이는 마치 아버지를 대변하고 있는 것 같았다.

"다음부터는 라면 끓일 때 얼음 한 개만 넣어 봐. 면발이 아주 꼬들꼬들해진다니까. 얼음 하나의 마술이지."

어디서 아버지 목소리가 들리는 것 같았다. 아버지와 참 많이 닮은 녀석이었다. 정말 아버지를 뼛속 깊이 이해하고 있는 걸까. 내가 아버지를 불량 인간으로 낙인찍고 애써 멀리하는 것을 다 아는 듯한 얼굴이었다. 그런 아버지가 뭐 어떠냐는 얼굴 같기도 했다. 아이는 한참을 떠들다가 마지막에 이렇게 덧붙였다.

"평범하지 않은 게 나빠?"

나는 그때 아무런 대답도 하지 못했다. 아버지가 나쁘다고 말할 자신이 없었다. 아버지는 어쩌자고 이렇게 되어 버렸을까, 어쩌자고 저렇게 멀리 가 버렸을까, 늘 이렇게만 생각하던 나에게 또 다른 내가 '내가 틀린 건 아닐까?' 하고 되묻는 것 같았다.

애당초 채집과 수렵에 맞는 아버지가 돈이라는 걸 벌어야 하는 지금 이 세상에 떨어진 것부터 잘못된 것이 아닐까, 너무 정형화되고 빡빡해진 세상 탓은 아닐까, 혹 아버지는 또 다른 세상에서 엄청 능력 있고 대단한 사람은 아닐까……. 이런저런 생각들이 밀려들었다. '평범하지 않은 게 나빠?' 아무리 생각해도 답은 떠오르지 않았다.

그러다 문득 아이가 코를 긁적이던 모습 위로 코끝을 자주 긁던 아버지 얼굴이 오롯이 겹쳐졌다. 아니, 아버지 얼굴 위에 아이 얼굴이 겹쳐졌나. 그 순간 눈앞이 뿌옇게 흐려졌다. 엄마가 또 뭘 태우나, 하고 눈을 비비고 보니 눈앞의 뿌연 막이 오히려 더 짙어진 것 같았다. 나와 아버지 사이에도 이런 막이 있을까, 내가 만든 뿌연 막 안에 아버지를 가둬 놓았던 건 아닐까. 난생처음으로 아버지의 본모습이 궁금해졌다. 나는 내 앞을 가린 뿌연 것들을 없애려 거미줄 걷어 내듯 두 손을 마구 휘저었다.

육식 동물의

종말

"야, 김소은. 기억나냐? 너 유치원 때 별명이 티라노사우루스였잖아. 애들 잡아먹는다고 막 뛰어다니면서 물어뜯고 할퀴고. 와, 그때 진짜 재미있었는데."

오민석은 마치 어제도 만난 친구처럼 이렇게 말하더니 나를 위아래로 슥 훑어보았다. 그러고는 햄버거를 크게 한입 베어 물고 또 신나게 떠들었다.

"나중에 내가 육식 동물이라고 바꿔 줬잖아. 나 그때 너 진짜 부러웠는데. 키도 제일 크고 덩치도 그렇고. 뭐, 그때는 네가 대장이었지. 내가 얼마나 쫓아다녔냐."

어언 삼 년 만에 만난 여자 친구한테 티라노며 육식 동물이라니,

욕이 툭 튀어나오려는 걸 꾹 참고 콜라를 빨아올렸다.

평소 성격대로라면 욕보다 발차기를 먼저 날렸겠지만 너무나도 바뀌어 버린 오민석의 모습이 나를 당황하게 만들기는 했다. 분명 초등학교 때까지만 해도 저런 비주얼은 아니었다. 얇은 팔다리에 유난히 지저분해 보이던 까만 피부, 눈썹에서 한참 위로 올라가 일자로 뎅강 잘려 있던 앞머리……. 유치원 때 내 멋대로 남자 친구 겸 졸병으로 삼은 뒤로 쭉 나만 쫓아다니던 소심하고 시시한 놈이었다.

그런데 초등학교를 졸업한 뒤 까맣게 잊고 있었던 오민석이 완전히 달라진 모습으로 내 앞에 나타났다. 훌륭한 기럭지에 까무잡잡한 피부, 웃을 때마다 사라질 듯 반달 모양으로 감기는 눈까지, 제법 그럴싸한 생김새였다. 지난 삼 년 동안 무슨 일이 있었기에 인간이 이렇게 달라졌을까.

흘끔흘끔 오민석을 보다가 햄버거를 집어 들었다. 종이 포장을 벗겨 조금 얇은 것 같은 고기 패티를 확인하고는 떨떠름한 표정으로 한입 베어 물었다. 패티 가운데 쪽은 도톰하니까 용서해 줄까. 다시 한입 먹으려는데 오민석이 내 목 언저리를 보며 눈을 동그랗게 떴다.

"야, 김소은. 너 운동하냐? 승모근 있어, 너."

어이없는 얼굴로 햄버거를 물고 있으니까 오민석은 재미있다는 듯 덧붙였다.

"운동 좀 한다하는 남자들한테 많이 붙는 근육인데, 그거."

오민석은 승모근이 이두박근이나 삼두박근처럼 남자들이 원하는 근육 중 하나라고 말했다. 로망에 가까운 근육이라나. 이게 붙으면 일단 목이 두꺼워 보이고 어깨도 넓어 보이고 자연스레 떡대도 있어 보여서 운동 좀 했구나, 하는 소리를 듣는다고 했다. 남자다움의 상징이며 힘의 상징이기도 하단다.

그러고는 "설마 너도 개 사료 먹는 건 아니지?" 하고 혼자 키득거리더니 이번에는 개 사료 이야기를 줄줄 늘어놓았다. 요즘 남자애들 사이에서 근육을 만들어 준다는 단백질 덩어리를 먹는 게 유행인데 쌀자루 같은 큰 포대에 들어 있고 모양이 동글납작하니 맛도 냄새도 딱 개 사료 같아서 자기네들 사이에서는 개 근육 사료라고 부른다고 한다. 오도독거리며 먹고 다니는 꼴도 완전 개 같기는 하단다.

"그거 먹고도 승모근 생겼다는 놈은 못 봤는데 대단하다, 너. 내가 별명 하나는 끝내주게 잘 지었네, 그치?"

"야, 오민석!"

있는 힘껏 눈을 부릅뜨자 오민석은 장난기 가득한 얼굴로 눈웃음을 지어 보였다.

"농담이야, 농담. 이제 우리 학교 애들도 그거 안 먹어. 그 벽보 때문에. 개 사료도 고기로 만들었을 거라고."

여전히 눈에 힘을 빡 주고 물었다.

"벽보? 뭔 벽보?"

"너희 학교는 안 붙었어? 햄버거 커넥션. 요즘 그것 땜에 학교마다 난리라던데, 너희 학교에도 곧 붙을걸."

벽보의 제목은 '햄버거 커넥션을 아십니까?'라고 했다. 미국에서 저렴한 햄버거용 고기 패티를 구하기 위해 브라질 같은 나라에 소고기 생산을 의뢰한다, 브라질은 돈을 벌려고 정글을 밀어 버리고 거기에 소를 키우거나 소한테 먹일 옥수수를 키우는데 그 탓에 브라질 아마존의 3분의 2가 사라졌다, 하는 내용이었다.

"햄버거 하나 때문에 지구의 허파가 사라지고 있다고 하더라고. 근데 웃긴 건……."

오민석은 나를 보며 실실 웃기 시작했다.

"그 벽보 옆에 빨간 매직으로 '육식 동물은 반성하라!'라고 누가 써 놓은 거야. 나 그거 보고 갑자기 네 생각났잖아. 육식 동물 김소은. 그래서 연락한 거야. 궁금하기도 하고 보고 싶기도 하고."

아 진짜, 이걸 확 들이받아 말아. 입을 달싹거리고 있는데 오민석이 갑자기 훅 다가왔다.

"어릴 때 우리 진짜 재미있었는데. 그립다, 그치?"

순간 움찔했다. 오민석 얼굴이 내 눈앞에 커다랗게 다가와 있었다. 금방이라도 코끝이 맞닿을 것 같았다. 가까워도 너무 가까웠다. 꼼짝도 못 하고 눈만 끔뻑이고 있으니까 오민석이 내 머리를 톡톡 두드리며 제자리로 돌아갔다. 하지만 코앞까지 다가온 오민석 얼굴은 한참 뒤에도 쉽게 사라지지 않고 머릿속에서 어른거렸다. 뭔가 당한 느낌이었지만 나쁘지 않았다. 그 짧은 순간에 남자의 냄새를 맡았달까.

그 뒤로도 오민석은 우리가 아직도 같은 아파트 단지에 산다며 자주 만나자거나 자기는 몇 시쯤에 버스를 타니까 종종 아파트 앞 버스 정류장에서 보자거나 하는 달달한 말들을 날렸다. 어려서 남자애들을 끌고 다니다가 중학생이 된 뒤로 남자라고는 동생밖에 못 본 나에게 남자 친구가 생기는 감격스러운 순간이었다. 오늘만큼은 얇은 고기 패티도 기분 좋게 용서할 수 있을 것 같았다.

꿈에서도 오민석과 시시덕거리고 놀다가 깨어난 다음 날 아침, 문틈 사이로 고소한 냄새가 풍겨 왔다. 냄새를 맡아 보니 아무런 양념도 안 한 돼지고기 구이가 분명했다. 오늘은 담백하게 소금으로만 먹어 볼까, 입가에 흐뭇한 웃음을 짓다가 눈을 번쩍 떴다. 소금에 찍어 먹는 건 아빠와 동생이 제일 좋아하는 거니까 얼른 움직이지 않으면 곧 없어질 게 뻔했다. 지난번에도 맛있는 부위는 둘이 다 먹고 퍽퍽한 뒷다리살만 남겨 둔 적이 있었다.

대충 씻고 얼른 교복 치마를 입고 남방셔츠 단추를 채웠다. 막 넥타이를 매려는데 목이 갑갑한 게 뭔가 조이는 느낌이었다. 급한 마음에 넥타이를 쭉쭉 잡아당기다가 문득 어제 오민석이 했던 말이 떠올랐다. '승모근 있어, 너.'

전신 거울을 향해 햄버거 먹을 때처럼 입을 크게 벌려 보았다.

목 아래로 피부가 늘어나면서 근육이 또렷하게 보였다. 정말로 어깨와 뒷목이 연결되는 부분에 살이 볼록하게 올라붙어 있었다. 다시 남방셔츠 단추를 풀고 어깨를 보았다. 거울에 딱 붙어 서서 볼록한 부분을 누르니까 도톰한 것이 단단하게 만져졌다.

"뭐야, 이거 진짜 근육이야?"

화들짝 놀라 몸에 힘이 들어갔다. 어깨를 돌려 가며 천천히 목 언저리를 살폈다. 기분 탓인지 정말 어깨가 실하고 든든해진 것 같았다. 도대체 이런 게 왜 생겼을까. 곰곰이 생각해 보니 며칠 동안 사람 많은 버스에서 안간힘을 써 가며 손잡이에 매달려 학교에 가기는 했다. 원래 근육이 잘 붙는 체질이니까 그것만으로도 근육이 생기는 걸까. 전신 거울에 가득 찬 내 몸통을 보다가 바닥에 털썩 주저앉았다. 갑자기 나타난 오민석처럼 '육식 동물 김소은'도 덩달아 재출몰한 것 같았다.

유치원 때처럼 오민석이 '내 여자 친구 공룡이다!' 하면서 자랑하고 다닐 턱도 없는데 뭣하러 이런 게 생겼을까. 그때는 나도 커서 티라노사우루스처럼 강한 사람이 되는 게 나쁘지 않을 것 같아 오민석이랑 같이 으르렁대고 다녔다. 하지만 초등학교 고학년이 되고 오민석이랑도 멀어지면서 그 별명도 자연스레 잊혔다. 깨끗이 지웠다고 생각했다. 그런데 지금 깡마르고 까만 예전의 오민석이 눈앞에서 '초식 동물을 잡아먹으면서 그 근육까지 다 먹는 거야. 그래서 근육이 뽈록뽈록 늘어나고 드디어 진짜 육식 동물이 되는 거지.' 하고 좋알거리고 있는 것 같았다.

"재수 없어, 오민석. 고기 많이 먹어서 육식 동물 되는 거면 우리 집 식구들은 벌써 공룡 됐게."

남방셔츠 칼라를 한껏 위로 올려 목을 가리고 마루로 나갔다. 약간 꼬리꼬리한 냄새도 풍기는 걸 보니 곱창도 같이 구운 모양이었다. 저절로 침이 꼴깍 넘어갔다. 식탁에서는 이미 아빠와 동생이 부지런히 고기를 흡입하고 있었다. 평소 같으면 나도 저 틈에 끼어 경쟁하듯 먹었겠지만 오늘은 그럴 수 없을 것 같았다. 내 목에 생겼다는 승모근도 그렇고 육식 동물이라는 말도 마음에 걸렸다. 공부를 한다는 이유로 나날이 우람해지는 내 몸을 그냥 내버려 두는 것도 너무하나 싶기는 했다. 물론 버스 정류장에서 보자던 오민석의 말도 신경 쓰였다.

터덜터덜 버스 정류장으로 가 보니 정말 저만치 앞에 오민석이 서 있었다. 짧게 깎은 머리로 고개를 까딱까딱 흔들고 있었는데 귀에 꽂은 하얀 이어폰 줄도 같이 흔들거렸다. 가까이 다가갈수록 그 모습이 유난히 또렷하게 눈에 들어왔다. 턱을 따라 드문드문 여드름이 나 있었지만 지저분해 보이지 않았다. 아무렇게나 걸친 얇은 니트가 몸에서 자연스럽게 흘러내렸고 평범하기 그지없는 회색 교복 바지도 웬일인지 세련돼 보였다. 헐렁한 바짓단에 살짝 가려진 낡은 스니커즈 또한 멋스러웠다.

저 정도면 남자 친구로 나쁘지 않지, 혼자 이렇게 생각하고 있는데 오민석과 눈이 딱 마주쳤다. 얼른 눈을 돌리려는데 오민석이 나를 향해 환하게 웃어 보였다. 웃으면 사라지는 눈이 유난히 크게 휘어지며 초승달 모양을 그렸다.

"여, 나의 옛 여친, 육식 동물!"

오민석은 커다란 목소리로 나를 부르더니 손까지 마구 흔들어 댔다. 아침부터 육식 동물이라니, 욕이라도 한 바가지 퍼부어야 했지만 그 눈을 보니 마음이 말랑말랑해지는 것 같았다.

"여친은 뺄까?"

장난스레 묻기에 대답도 안 하고 화가 난 척 버스가 오는 쪽으로 고개를 돌렸다. 그런 내 옆얼굴을 오민석이 빤히 쳐다보는 게 느껴졌다. 얼굴이 확 달아올라 나도 모르게 이렇게 물었다.

"너, 어제 나한테 승모근인가 뭔가 있다고 한 거. 그거 진짜였냐?"

아차, 싶었다. 얼른 칼라를 세워 목을 가리는데 오민석이 대수롭지 않게 "응." 하고 대답했다. 그 간단한 대답에 할 말을 잃고 말았다. 그런 게 왜 생겼을까, 어떻게 하면 없어질까, 조금 전까지만 해도 이런 것들이 묻고 싶었는데 막상 대답을 듣고 나니까 입이 떨어지지가 않았다. 왜 아침부터 이딴 승모근 얘기를 꺼냈을까, 하고 후회만 밀려들었다.

"우리 만날 여기서 버스 타니까 스쳤을 수도 있는데 이제까지 몰랐네. 그치?"

오민석은 기분이 좋은지 이렇게 말하고는 눈웃음을 지어 보였다. 얘는 무슨 남자가 눈웃음을 침 흘리듯 흘려. 눈을 가늘게 뜨고 있는데 오민석이 또 얼굴을 바짝 붙여 왔다.

"우리 가끔 같은 버스도 탔을걸. 551번 타면 너희 학교 지나서 우리 학교로 가더라."

상큼한 냄새가 훅 풍겨 왔다. 비누 냄새인지 샴푸 냄새인지 말도 못 하게 달달했다. 구리구리하고 퀴퀴한 내 동생 냄새하고는 차원이 달랐다. 정신이 아득해져 코를 벌름거리고 있으니까 어느 틈엔가 551번 버스가 도착해 있었다.

살짝 따끈해진 얼굴로 버스에 올라타 오민석 옆에서 나란히 흔들렸다. 오민석은 버스 뒷문 봉을 잡았고 나는 늘 그러듯 머리 위에서 대롱거리는 링 손잡이를 잡았다. 그런데 오민석이 너무나도 자연스럽게 링 손잡이에 매달린 내 팔뚝을 엄지와 검지로 꽉 움켜쥐었다.

"김소은, 팔뚝에 힘줘 봐. 너도 잘하면 내 손가락 튕겨 내겠다."

잠깐 무슨 말인가 생각하다가 어렸을 때 동생이랑 자주 했던 장난이 떠올랐다. 상대가 팔뚝을 잡았을 때 팔뚝에 힘을 주면 근육이 볼록하게 튀어나와 엄지와 검지를 튕겨 내는 장난이었다.

화들짝 놀라 얼른 팔을 빼려는데 버스가 갑자기 급정거를 했다. 본능적으로 링 손잡이를 세게 붙잡았고 그와 동시에 내 팔뚝에 힘이 빡 들어갔다. 덩달아 오민석의 손가락들이 통 하고 튕겨 나갔다. 내 팔뚝에는 동그랗고 탱탱한 근육이 봉긋하게 솟아올라 있었다. 그걸 보다가 오민석과 눈이 딱 마주쳤다. 잠깐 참는가 싶더니 곧 오민석이 미친 듯이 웃기 시작했다. 학교로 가는 열 정거장이 오만 년처럼 길게 느껴졌다. 난생처음 열받고 민망하고 화끈거리고 안타까운 감정을 골고루 느끼며 버스에서 내려야 했다.

꿀꿀한 기분으로 교실에 들어가니 무슨 일인지 떠들썩했다. 슬쩍 들어 보니 우리 학교에도 오민석이 말한 그 벽보가 붙은 모양이었다.

"야, 벽보 봤냐?"

지선이가 커다란 몸통을 돌려 물었다.

"지금 삐쩍 마른 애들이 또 다이어트한다고 난리잖아. 이참에 햄버거 끊는다고. 그 벽보에 나온 책, 논술에도 나왔다더라고. 제목이 뭐라더라, 육식의 종말인가? 그 정도는 읽어 줘야 교양 있는 중딩이라나 뭐라나."

갑자기 기분이 팍 상해 버렸다. 제목에 육식이라는 말이 들어가서 그런지 내가 망하는 이야기 같았다. 뒷자리 애들의 말소리도 거슬렸다.

"열대 우림을 파괴해서 햄버거를 만든다잖아. 그러니까 햄버거를 먹으면 열대 우림을 먹어 치우는 거야."

"뭐 그딴 논리가 다 있냐?"

"벽보님이 그렇다잖아."

"아, 시끄러워. 내가 햄버거를 얼마나 사랑하는데."

"됐고, 고기 하면 또 우리 김소은 아니냐. 한 달에 소, 돼지 한 마리씩은 거뜬히 먹어 치우는 것 같은 우리 대식가님의 말씀도 한번 들어 봐야지."

순식간에 모든 시선이 나한테 쏠렸다. 생각지도 못한 공격에 눈을 과하게 치뜨고 크게 외쳤다.

"뭐, 뭐래. 내가 뭐?"

"너 고기만 먹잖아. 햄버거에 들어간 채소도 싫어하고. 차라리 패티만 두 장 넣어 달라며."

뭔가 몹쓸 기분이 밀려들었다. 마치 내가 세상에 존재하는 고기를 혼자서 다 먹어 치우고 지구를 위험에 빠뜨리는 파렴치한 인간이 된 기분이었다. 애들을 한참 노려보며 무언의 항변을 날린 뒤 벽보가 붙었다는 곳으로 내려가 보았다. 벽보는 까칠한 선생님들의 눈을 피해 후문 모퉁이에 붙어 있었다.

햄버거 커넥션을 아십니까?

예상 밖으로 진지함을 쏙 뺀, 귀여운 글씨체로 알록달록하게 쓰여진 벽보였다. 육식을 즐기는 인간들 때문에 정글이 사라지고 기아가 발생한다는 내용이었다. '육식 동물은 반성하라!' 같은 낙서는 없었지만 벽보와 함께 붙은 비위생적인 도축장 모습이며 불쌍한 눈을 하고 쓰러져 있는 소의 사진을 보니 절로 미안한 마음이 들기는 했다. 머릿속으로 환상적인 꽃등심 마블링 위에 살아 있는 소의 모습이 겹쳐지는 묘한 그림도 떠올랐다.

나도 모르게 육식의 종말, 육식의 종말, 하고 읊어 보았다. 벽보 내용과는 상관없이 '고기를 끊으면 정말 근육이 사라질까.' 하는 생각이 먼저 들었다. 어느새 내 손들이 승모근을 조물조물 주무르고 있었다. 이 근육들은 정말 내가 그동안 먹어 치운 초식 동물의 근육일까. 승모근을 주무르는 손에 힘이 들어갔다. 그때 누군가 내 어깨를 톡톡 두드렸다.

"김소은 맞지? 나야, 이연우. 기억하지?"

삐쩍 마른 것들이 넷이나 서 있었다.

"벽보 읽어 봤어? 내가 쓴 거야. 어때?"

초등학교 언제쯤에 같은 반이었던 이연우가 대뜸 이렇게 묻고는 나를 빤히 쳐다보았다. 뭐가 어떠냐는 건지 알 수가 없어 멍하니 있으니까 또 이렇게 말했다.

"너 고기 많이 좋아했던 걸로 기억하는데. 별명도 육식 소녀, 그런 거였던 거 같고."

이연우는 지역 신문사에서 벽보와 관련해 인터뷰 요청을 받았다고 했다.

"그래서 네 도움이 필요해. 너도 우리랑 같이 채식을 해 줬으면 해. 한 달만."

이연우가 낭랑하게 말을 이었다.

"귀찮은 일은 없을 거야. 그냥 네 존재가 필요한 것뿐이야. 상징적인 존재. 육식을 좋아하지만 그럼에도 불구하고 채식을 하겠다고 선언하는 의식 있는 여중생 말이야. 간식은 채식 사이트에서 내가 사다 줄게. 집에서는 몰라도 학교에서는 꼭 채식을 해 줬으면 좋겠어."

어이가 없었다. 도움이 필요하다더니 은근히 명령조였다. 이연우 뒤에 선 애들도 지극히 건방져 보였다.

"당연히 도와줄 거라고 믿어. 우리 학교 이미지가 걸린 문제니까."

문득 아까의 그 몹쓸 기분이 다시 몰려들었다. 고기를 좋아한다는 이유로 죄수가 된 기분이랄까. 대차게 거절할 말을 찾고 있는데 뽀롱, 문자가 날아왔다.

이따가 학원 가기 전에 잠깐 볼까?

오민석이었다. 저절로 눈이 커지고 입이 벌어졌다. 아침부터 거울로 승모근도 확인한 데다 채식을 하자는 개떡 같은 말도 들은 마당에 슬며시 웃음이 삐져나왔다. 그 짧은 문자를 읽고 또 읽다가 나도 모르게 몹시 들떠 버렸다. 뭣 때문에 또 보자는 걸까, 아침에도 만났는데 저녁에 또 보자는 건 무슨 의미일까, 그냥 잠깐 보자는 건데 너무 들뜨면 안 되려나. 문자를 보며 이런저런 생각을 하는데 어느새 이연우와 그 무리가 치마를 살랑거리며 멀어지고 있었다. 확 받아 버리지 못해 아쉬웠지만 상관없었다. 오민석을 만날 생각으로 교실로 가는 내내 발걸음이 통통 튀어 올랐다. 잡티 하나 안 보일 정도로 완벽한 커버력을 자랑한다는 효과 만점 비비 크림이라도 두껍게 발라 줘야 할 것 같았다.

"너네 학교 신문에 났더라."

칠 분씩이나 늦은 오민석이 반성의 기미도 없이 이렇게 말했다. 하필 만나자는 곳이 또 햄버거집이냐고 막 따지려던 참이었다.

"뭐?"

"벽보 말이야, 햄버거 커넥션. 너희 학교 애가 인터뷰를 했더라고. 채식할 거라고. 벽보 들고 찍은 사진도 엄청 크게 실렸던데."

설마 벌써, 하고 생각하고 있는데 오민석이 내 콜라를 쭉 빨아 마시고는 덧붙였다.

"학교에서 벽보 같은 거 못 붙이게 했을 텐데 용감한 중학생이라고 엄청 띄우더라. 거기 고기 좋아하는 '육식 소녀'라는 애도 있다던데, 설마 너 아니지?"

뜨끔했다. 그 여우 같은 것들이 벌써 인터뷰까지 다 해 놓고 나를 찾아온 거였어. 욱하는 마음에 속으로 욕을 퍼붓다가 이연우가 내 별명을 육식 '소녀'로 잘못 알고 있어서 천만다행이라고 생각했다. 그러면서 오민석이 빨던 빨대를 아무렇지 않게 입으로 가져가며 되물었다.

"그게 나면 뭐?"

"네가? 육식 동물 김소은이? 네가 채식을 한다고? 야, 그럼 내가 평생 햄버거 쏜다!"

오민석이 과장된 목소리로 외쳤다. 육식 동물이라는 말이 내 귀에 팍 꽂히는 것 같았다.

"너 자꾸 육식 동물 들먹일래?"

"우아, 너 화내니까 아직도 코에 주름 생기네. 진짜 옛날 생각난다. 우리 일부러 인상 쓰고 막 으르렁거리고 그랬는데……."

"진짜 죽는다, 오민석!"

참다못해 확 내질렀다. 오민석은 미안하다고, 다시는 안 그러겠다고, 내 손목을 잡고 흔들었다. 끈적임이 전혀 없는 보송보송하고 따뜻한 손이었다. 짜증이 다 가시기도 전에 숫대 없이 설렘이 찾아들었다. 내 손목을 꼭 잡은 오민석의 기다란 손가락을 보다가 삐져나오려는 웃음을 숨기려 고개를 돌렸다.

유리창에 우리 실루엣이 또렷하게 비쳤다. 얇은 오민석 옆에 떡 벌어진 어깨를 한 내가 앉아 있었다. 실루엣만으로는 내 쪽이 남자 같았다. 그 모습이 거슬려 눈을 돌리려는데 뜬금없이 초등학생 시절 오민석의 첫사랑이 떠올랐다. 소영인가 수영인가 하는 이름이었다. 긴 생머리에 삐쩍 마른 몸통이 나와는 정반대인, 이연우와 비슷한 느낌의 아이였다.

왜 이 순간에 오민석의 첫사랑이 떠올랐을까. 왠지 기운이 쭉 빠져 학원도 가지 않고 집으로 와 버렸다. 『육식의 종말』이라는 책이라도 빌려서 육식과 근육 사이에 무슨 관계가 있는지 찾아보고 싶었지만 의욕이 생기지 않았다. 내가 남들보다 근육이 많은 건 아무래도 우락부락하고 고기 좋아하는 아빠 딸이라서 그런 것 같았다. 자꾸 근육과 육식을 연결시키는 나 자신한테도 짜증이 났다.

사실 이 모든 일의 화근인 오민석이 제일 짜증 나기는 했다. 갑자기 나타나서 한다는 말이 육식 동물에, 승모근에, 벽보라니. 아무리 어렸을 때라고 해도 여자 친구와 남자 친구였던 사이인데 만나자마자 입을 쩍쩍 벌려 가며 햄버거를 먹는 것도 그랬다. 요 며칠 내 몸통 여기저기에 초식 동물의 근육이 달라붙는 영상이 자꾸 떠오르는 것도 다 오민석 때문인 것 같았다.

"아니, 내가 이연우처럼 얇았어도 이렇게 막 대할 거야? 승모근인지 그딴 근육이 없어도? 웃겨 진짜."

이렇게 중얼거리다가 정신이 번쩍 들었다. 나 지금 질투하냐. 저절로 입이 헤벌어졌다. 얼굴도 확 달아올랐다. 설마 그동안 꿀꿀하고 기분 나쁘고 기운이 없는 이유가 오로지 오민석 때문이었나, 오민석이 나를 여자로 보지 않는 것 같아서? 채식한다고 의식 있는 중딩처럼 구는 이연우 탓도 아니고 고기 좀 좋아한다고 열대 우림을 집어삼킨 파렴치한 인간으로 몰아가는 벽보 탓도 아니고 오로지 오민석 때문에?

아니라고 말할 자신이 없었다. 밋밋하던 내 삶에 오민석이 돌을 던진 건 사실이었다. 내 근육들이 유난히 꼴 보기 싫고 고기를 좋아하는 식성에 대해 눈곱만큼 의문이 들기 시작한 것도 오민석 때문이 분명했다. 그러자 갑자기 짜증이 솟아올랐다. 나한테 던진 돌도 아닌데 죽어라 뛰어가 일부러 맞아 놓고 휘청거리는 꼴 같았다.

"아, 완전 없어 보인다, 김소은."

채식을 하면 평생 햄버거를 쏘겠다는 오민석의 말 때문은 절대로 아니지만 어쨌든 딱 한 달만 채식을 해 보기로 마음먹었다. 채식을 한다고 내 근육들이 없어질까 싶지만 살이라도 좀 빠진다면 나쁘지 않을 것 같았다. 왠지 모든 상황들이 나한테 그러라고 시키는 것 같기도 했다. 하지만 친구들에게 채식을 시작했다고 웅얼웅얼 털어놓았을 때는 영 피곤하기만 했다.

"채식을 한다고? 네가? 다이어트도 아니고?"

"너 어디 아프니, 김소은?"

"절교하자는 거냐, 친구. 인간은 육식 동물일 가능성이 높아. 네 송곳니를 보면 느낌이 올 텐데."

지선이를 비롯해 한덩치 하는 내 친구들은 이렇게 윽박질렀다. 집에서도 피곤하기는 마찬가지였다. 엄마는 내 말은 들은 체도 하지 않고 늘 그러듯 나날이 고기반찬을 메인으로 올렸고 아빠는 그러다 죽는다며 내 앞에 마블링 최상급인 특A++ 꽃등심을 들이밀었다. 동생은 내가 고기 없이 김치에 밥만 먹는 걸 그저 놀랍다는 얼굴로 바라볼 뿐이었다.

그렇게 나는 채식주의자가 되어 가는 듯했다. 등 떠밀리듯 시작했지만 채소만으로 어찌어찌 꾸역꾸역 버텨 나갔다. 하지만 채식을 시작한 지 사흘 만에 나는 노랗게 시들어 버리고 말았다. 채식을 하면 화도 덜 나고 성격도 온순해진다는데 나는 그게 안 통하는 인간인 것 같았다. 이유 없이 화가 솟구쳤고 학교에서든 집에서든 우울하기만 했다. 친구들이 매점으로 몰려갈 때는 밑도 끝도 없이 배신감을 느꼈고, 맛없는 콩소시지지만 그거라도 사다 준다던 이연우가 코빼기도 보이지 않을 때는 분노마저 일었다.

그렇게 우울하고 배고픈 나날을 보내고 있을 즈음 오민석한테 수상한 문자가 날아왔다.

김소은, 보고 싶다……. 우리 만날까?

침대에 대자로 누워 있다가 벌떡 일어났다. 고기를 못 먹어 그런지 핸드폰을 잡은 손이 미세하게 떨렸다. 이건 무슨 뜻일까, 분명 내 이름이 있으니까 잘못 보낸 건 아닌데 '보고 싶다' 뒤에 이 말줄임표는 뭔가. 자꾸 햄버거를 먹자는 통에 내내 씹었더니 그게 밀당이 되어 버렸나. 혼자 백만 가지 생각을 하다가 답장을 보냈다.

왜, 또 배고프냐.

나 심심해, 김소은.

난 안 심심하다, 오민석.

친구끼리 이러기냐.

의식주가 해결되지 못한 인간은 늘 부정적이라고 했던가. 친구라는 단어만 크게 다가왔다. 나는 역시 여자 사람 친구였나. 멀뚱히 핸드폰을 보다가 대화방에서 나와 버렸다. 기운이 쭉 빠졌다. 며칠 동안 고기를 못 먹어서 그런지 머리가 핑핑 도는 것 같았다. 고기가 필요한 걸까, 아님 다른 거라도? 일테면 몸통이 가느다래진달지 승모근이 없어진달지, 그것도 아니면 달달한 '썸'이 생긴달지……. 이런 생각을 하고 있는데 난데없이 내 방 창문 너머로 시커먼 그림자가 다가왔다. 몸통을 꼿꼿하게 세우고 보니까 창밖 아파트 복도에 오민석이 서 있었다. 가슴이 철렁 내려앉았다.

"뭐냐, 김소은. 재미없게."

오민석은 얼굴을 반이나 가리고 있던 후드티 모자를 뒤로 넘기며 창살 사이로 감자튀김을 들이밀었다. 나는 빛의 속도로 내 옷차림과 방 상태를 확인한 뒤, 태연한 얼굴로 감자튀김을 받아 들었다.

우리는 한동안 내 방 창문의 창살을 사이에 두고 말없이 입을 우물거렸다. 가끔 오민석이 먹는 햄버거를 흘끔거리긴 했지만 나는 감자튀김만 부지런히 먹었다. 오민석이 그런 나를 보며 물었다.

"혹시 너, 좋아하는 놈 생겼냐?"

"뭐?"

괴상한 목소리가 튀어나왔다.

"원래 그렇잖아, 여자애들. 좋아하는 사람 생기면 다이어트하고 까칠해지고."

"뭐, 뭐래."

"너 진짜 재미없어, 김소은. 내가 육식 동물 친구를 얼마나 그리워했는데. 내 친구는 어디로 간 거냐."

기다란 감자튀김을 야금야금 잘라 먹다가 딱 멈췄다. 나는 분명 여기에 있는데 어디로 갔냐니. 육식 동물이라는 말이 머릿속에 가득 들어차는 것 같았다. 갑자기 기분이 팍 상해 버렸다.

"근데 너 진짜 채식하는 거 맞아? 어째 덩치가 더 좋아진 거 같다."

덩달아 감자튀김 맛도 싹 사라졌다. 도대체 이건 무슨 맛인 거냐, 하고 감자튀김을 뚱하니 내려다보다가 오민석을 보았다. 내가 이렇게 된 게 죄 오민석 때문이라고 생각했는데 문득 아닐지도 모른다는 생각이 들었다.

"나 뭐 하냐."

이렇게 웅얼거리다가 나지막하게 덧붙였다.

"근육만 없어지면 달라지나?"

오민석은 햄버거를 우물거리며 그런 나를 멀뚱히 쳐다볼 뿐이었다. 나는 오민석을 향해 이번에는 잘 들릴 만큼 큰 소리로 물었다.

"너도 육식 동물이 그립지?"

"뭐라는 거야, 김소은?"

되묻는 오민석한테 대답도 않고 먹다 남은 감자튀김을 내밀었다. 내일은 내가 햄버거 쏜다, 선언하듯 말하고는 오민석한테 손을 흔들었다. 떨떠름한 표정으로 멀어지는 오민석을 보다가 창문을 닫았다. 내가 이렇게 되어 버린 게 오민석 탓이 아닌 것처럼, 근육만 없어지면 다 잘될 거라는 생각도 오답인 것 같았다.

침대에서 벌떡 일어나 주방으로 갔다. 냉동실을 뒤져 돌덩이처럼 꽝꽝 얼어 있는 삼겹살을 꺼내 도마 위에 올리고 칼로 내려쳤다. 가루처럼 떨어져 나온 삼겹살을 프라이팬에 털어 넣고 가스레인지에 올렸다. 치지직, 고소한 냄새가 올라왔다. 노릇하게 구워진 삼겹살 조각을 하나 집어 조심스레 입에 넣었다. 그 작은 조각에서 고소하고 달콤하고 담백하고 짭조름한 맛이 동시에 느껴졌다. 마치 태어나 처음 고기를 먹어 본 것처럼 감동이 밀려들었다. 또 한 조각을 입에 넣었다. 기분이 말도 못 하게 좋아졌다.

채식이고 뭐고 일단 오민석부터 해결하자 싶었다. 오민석 때문에 내 근육들과 식성까지 싫어졌다면 그만한 가치가 있는 놈인지

부터 알아야 했다. 사귀든지 친구를 하든지, 육식 동물의 종말은 그다음에 고하는 게 맞는 것 같았다. 이렇게 생각하자 내 몸 어딘가에서 불끈 힘이 솟았다.

퍽퍽. 다시 칼을 들어 돌처럼 단단한 삼겹살을 힘차게 내려쳤다.

우연이 만든 음영

우연이 만든 달

"임태임, 넌 졸업하고 뭐 할 거야?"

일상적인 질문 같지만 말투에 은근히 무시하는 뉘앙스가 풍길 때는 질문의 요지를 못 알아들은 척 생뚱맞게 구는 것도 나쁘지 않다. 지금처럼 졸업하고 딱히 뭐 할지 생각한 게 없거나 대학 문턱을 못 넘을 것 같은 씁쓸한 예감이 들 때는 특히나 요긴하다.

"쌍꺼풀 할 거야. 엄청 진하게. 앞도 트고 뒤도 트고. 지금보다 세 배는 커지게."

수화기 저쪽이 조용했다. 그러든지 말든지 하고 싶은 말을 줄줄이 늘어놓았다.

"코에 필러도 넣지, 뭐. 기왕 하는 거 다리 성형도 받고. 다리는 시술을 받든 안 받든 압박 스타킹 꼭 신어야 하는 거 알지? 그래야 다리가 쫀쫀해 보인다니까. 당연히 힙업 운동도 하고. 하루 2리터 물은 기본이지. 피부 건조해지면 끝장이잖아. 아침에 화장실 가는 것도 필수고 아침밥도 꼭 먹어야 해. 그래야 식탐 있는 여자처럼 안 보이지. 아침부터 입 쫙쫙 벌려 가면서 밥 먹는 거 완전 없어 보이잖아. 딱 질색이야."

김선영은 내내 말을 않더니 떨떠름한 목소리로 "연예인 할 건가 봐?" 하고 물었다.

"아니, 연예인은 별로. 그래도 내 장점은 부각시켜 봐야지. 방향 전환 같은 거. 우리 엄마는 공부 못하는 것들은 진즉에 인생 끝났다고 생각하거든."

김선영은 "아아." 하고 대답했다. 대답씩이나 하는 걸 보니 태영이에 대해서 물어보려는 게 틀림없었다.

"태영이는 뭐 한대? 대학은 정했나?"

아, 너무 뻔해서 지루해지려고 그런다 김선영. 이렇게 비웃다가 내가 이런 뻔한 애한테 왕따를 당했다는 사실에 울컥하고 말았다.

초등학생 때 김선영의 꼬임에 넘어가 "맞아, 난 예뻐."라고 말했다가 무려 오 개월 동안 왕따를 당했다. 김선영은 내가 딱 오 개월만 왕따를 당한 건 순전히 태영이 덕분이라고 했다. 선영이를 포함

한 그 무리가 태영이를 더 일찍 알았더라면 내가 왕따당하는 일은 아예 없었을 거라나. 당시 무척이나 둔했던 나는 그러고도 며칠 뒤에나 선영이가 태영이를 좋아한다는 걸 알았다.

어쨌거나 그 뒤에도 김선영은 나를 고깝게 생각하는 것 같았다. 이란성 쌍둥이지만 닮아도 너무 닮아서 다른 거라곤 성적밖에 없는 우리를 굳이 비교해 가면서 나를 괴롭혔다. 욱하는 마음에 따지듯 물은 적도 있었다.

"왜 나는 싫어하면서 태영이는 좋아해?"

그러자 선영이는 어이없다는 얼굴로 이렇게 말했다.

"넌 공부 못하잖아."

깔끔한 정리였다. 반박할 여지가 없다고 생각했다. 핸드폰을 뺏겨 말이 고프기도 했지만 친하지도 않으면서 선영이 전화를 꼬박꼬박 받는 데는 이유가 있었다. 선영이는 나를 긴장시키는 원수이자 인생을 쫀쫀하게 만드는 스승 같은 존재였다.

"태영이야 뭐, 좋은 대학 가겠지. 죽어라 공부하다가 예쁘고 재미난 시간 다 지나가면 엄청 좋은 대학 갈 거야. 내가 어느 잡지에서 읽었는데 스무 살만 넘으면 그때부터 늙기 시작한대. 더 나이 들면 가만히 누워 있어도 여기저기가 아프고. 그게 행복할까? 난 태영이처럼 안 살 거야. 지금부터 행복하지, 뭐."

너 자격지심 쩐다, 무선 전화기 저쪽에서 선영이 생각이 들리는 것 같았다. 어머, 나도 홍칫뿡이다. 속으로 이렇게 외쳤지만 오늘은 무한 긍정도 잘 안 되는 것 같았다. 공부 잘하는 쪽과 공부 못하는 쪽, 쌍둥이 임태영과 임태임이 오롯이 되살아나는 순간이었다. 내가 동거를 선언하고 야반도주를 감행했던 그때와 비슷한 기분이 되고 말았다.

태영이와 나는 초등학교 때부터 예쁘장한 쌍둥이로 유명했다. 하필 공부를 못하는 쪽이 나였으므로 대놓고 비교를 당하거나 은근히 무시를 당하고 살았다. '흥칫뿡'의 정신을 타고난 탓에 트라우마 따위는 하나도 없이 잘 자라긴 했지만 나를 무시하는 무리들이 선영이처럼 밋밋한 얼굴을 가진, 공부 좀 잘하는 것들이란 게 원통하기는 했다.

그래서 한때 공부를 하겠다고 마음먹은 적도 있었다. 반듯한 내 뇌에 주름을 만들고 요란하게 굴곡도 지으려 했다. 하지만 공부라는 걸 하려고 의자에 앉으면 묘하게도 다른 할 일이 떠올랐다. 일테면 이마에 난 조그만 뾰루지를 치료해야 한달지, 다리털을 제거해야 한달지, 어쩌다 눈에 띈 볼펜에 묻은 얼룩을 닦아야 한달지……. 결론은, 나는 공부와 안 맞는 인간이라는 거였다. 공부와 맞지 않는 학생은 존재 이유가 희미해지는 법이라 나란 존재는 태영이라는 그림자에 가려 잘 보이지도 않는 것 같았다.

다행인지 불행인지, 그 무렵 나를 가린 그림자를 가뿐히 걷어 내줄 달달한 말이 들려왔다. '넌 정말 예뻐.' '널 좋아해.' 이런 초딩스러운 말이 아니었다. 열여섯 살 동갑내기 남자 친구의 화법은 남달랐다.

"결혼해 주라. 평생 너 하나다."

덩치에 걸맞게 묵직한 목소리였고 눈빛은 이글거렸다. 실제로 우리가 살게 될 원룸도 하나 봐 뒀다고 했다. 짱짱한 계획표와 살 집의 사진을 본 순간 나도 모르게 동거를 결심했다. 엄마, 아빠한테는 결혼보다 동거가 덜 충격이지 싶었다.

동거를 선언한 날, 딱 안 죽을 만큼 얻어맞고 몇 달 동안 감금당하고 말았다. 그 울분이 미처 삭지도 않았을 때 엄마를 따라 교회에 갔다가 교회 오빠의 고백을 받고 야반도주를 감행했다. 또다시 죽도록 얻어맞고 동해 바다에서 끌려오기는 했지만 그때도 나는 그 생각뿐이었다. 그 누구와도 비교하지 않는, 오로지 나만 바라봐 주는 누군가가 필요하다고. 그때 내가 동해 바다에 갔다고 엄마한테 일러바친 건 임태영이었지만, 애초에 그걸 태영이한테 전한 김선영을 더 죽이고 싶었다.

"됐고, 그만 끊자, 김선영. 전화기 전자파도 피부에 안 좋대. 너도 피부에 신경 좀 써. 요즘 너 엄청 칙칙해 보이더라."

냉큼 전화를 끊어 버렸다. 태영이 침대에 벌렁 누워 무선 전화기를 침대에 던져 버리고는 천장을 올려다보았다. 선영이랑 통화하고 나면 번번이 꿀꿀한 기분이 들었다.

어렸을 때 태영이와 자주 했다던 놀이가 떠올랐다. 막 아장아장 걷기 시작하는 우리에게 엄마, 아빠는 저만치 있는 막대 사탕을 누가 먼저 가져오는지 놀이를 시켰다고 한다. 늘 내가 졌다는 말을 듣고부터 막대 사탕을 쪽쪽 빠는 태영이 앞에서 펑펑 울고 있는 내 모습이 눈에 보이는 것 같았다. 생각할수록 내가 불쌍해서 참을 수가 없었다. 그래서 요즘 내가 막대 사탕을 보는 족족 사는 걸까. 홍칫뿡을 염불처럼 외우며 태영이 방 안을 휘둘러보았다.

"근데 나 여기 왜 왔니?"

태영이 책상 위는 먼지 하나 없이 깨끗했다. 서랍 속에는 알록달록한 상자들이 포장도 뜯기지 않은 채 얌전히 놓여 있었다. 그 많은 여자애들은 임태영이 선물을 이렇게 방치하는 걸 알기나 할까. 이 중에 김선영이 준 것도 있으려나. 선물 상자 하나를 풀어 보았다. 직접 만들었는지 엉성한 하트 모양 초콜릿이 여러 개 뒤엉켜 있었다. 하나 집어 입에 넣으니 씁쓸한 맛이 먼저 느껴졌다.

초콜릿을 입에 물고 책이 빼곡히 꽂혀 있는 책장으로 갔다. 선물 받은 인형들과 액세서리, 구두, 모자들로 가득한 내 방과는 확실히 다른 느낌이었다. 뭔가 지루하달까. 손가락으로 책들을 드르륵 쓸어 보았다. 지난번보다 책이 더 늘어난 것 같았다. 따분하기도 해라. 손가락으로 책들을 톡톡 두드리면서 태영이 방에 왜 왔는지 생각했다. 기억은 나지 않고 책 제목만 눈에 들어왔다. 『사색 일기』, 『분노의 칼』, 『시나리오 알기』. 왜 여기 꽂혀 있을까 싶은 책들이 줄줄이 늘어서 있었다. 그러다 색깔 포스트잇이 위로 삐죽 붙어 있는 책에 눈이 갔다. 무슨무슨 상식 책이었다. 책을 뽑아 표지를 보니 제목 밑의 작은 부제가 눈에 확 들어왔다.

우연이 만들어 낸 기막힌 이야기

태영이가 포스트잇을 붙여 놓은 페이지를 펼쳤다.

인류는 재미난 우연으로 얽힌 많은 이야기를 공유한다. 그중에 단연 최고는 역시 태양과 달 이야기이다. 태양은 우리 눈에 달과 같은 크기로 보이지만 실은 달의 4,000배에 달하는 엄청나게 큰 행성이다. 그런데 왜 똑같은 크기로 보일까. 답은 간단하다. 달은 우리와 가까이 있고 태양은 수만 광년이나 떨어져 있기 때문이다. 이런 재미난 우연으로 우리는 많은 신화와 전설, 미신을 가지게 되었다.

오, 쩐다. 태영이 침대로 가 편안한 자세로 책을 읽기 시작했다.

서양에서는 태양과 달이 음과 양을 대변하는 선과 악의 역할을 맡는다. 그래서 달빛 아래 피를 빨던 흡혈귀는 태양 빛에 죽어 가고 검은 천으로 몸을 가린다. 하지만 동양에서는 다른 의미를 가진다. 동양은 종교적으로도 사고방식으로도 선과 악이 분명하게 나뉘지 않는다. 중용을 중시하는 사상 때문이기도 하고 토템이라는 자연 신앙 때문이기도 하다. 서양에서 보름달이 불운의 상징이라면 동양에서는 소원을 비는 신성한 대상이다.

자연은 선과 악이 아닌 위대한 존재 그 자체다. 낮은 태양이 지배하고 밤은 달이 지배한다. 그래서 만물은 평등하다.

우연히 태양과 달이 같은 크기로 보이면서 서양에서는 흡혈귀와 각종 귀신들 이야기가 퍼지고 태양과 달이 대립하는 신화들이 생겨났다. 반면 동양에서는 태양과 달이 동등하다는 사상과 문화, 풍속, 푸근한 이야기가 탄생했다. 쉬운 예를 들자면 강강술래와 해와 달이 된 오누이 이야기가 그렇다. 비교의 산물, 즉 오류인 셈이지만 우리는 즐겁다. 만약 그때의 사람들이 태양과 달의 크기가 4,000배나 차이가 난다는 것을 알았다면, 우리는 이렇게 재미있고 신비로운 이야기를 들을 수 있었을까?

천천히 책을 덮었다. 묘하게 공감 가는 글이었다. 하지만 왜 그런지는 알 수가 없었다. 괜스레 해와 달이 된 오누이를 중얼거렸다. 그러다 퍼뜩 태영이가 떠올랐다.

"임태영? 그래, 우린 해와 달처럼 닮았지. 우연히 같은 자궁에서 태어났고. 나보다 200그램이나 더 먹은 도둑놈. 그래서 우리가 자꾸 비교당하나?"

야반도주 때문에 집에 갇혀 있으면서 무던히 임태영과 김선영을 저주하던 그즈음, 인터넷에 떠돌던 가설을 하나 발견했다. 그 가설에 의하면 임태영은 도둑놈이었다. 태어났을 때 태영이는 2.5킬로그램이었고 나는 2.3킬로그램이었다. 태영이가 나와 나눠야 할 영양분 중에서 200그램이나 더 가져간 거였다. 딱 떨어지게 나눠 가져도 내가 100그램 손해니까 자궁 속에서도 나는 경쟁에 진 건가. 그게 뇌의 무게라면 저절로 고개가 끄덕여졌다. 이 이론을 들어 엄마한테 따졌다가 등짝만 세게 얻어맞았다. 이때부터 태영이와 엄마 자궁에서 싸우는 악몽도 자주 꾸었다.

주먹이 불끈 쥐어졌다. 뜨뜻미지근한 동양 이론보다 선악 대립 구조가 확실한 서양 이론이 더 마음에 들었다. SNS에 올리자. 있어 보이고 딱이다.

"좋아, 양보 좀 해서 내가 달 하지, 뭐. 뽀얗고 안아 주고 싶고 사연 있어 보이고 좋잖아. 태양은 임태영 줘 버리고."

침대에 누워 다시 책을 읽으려는데 책에서 종이 하나가 나풀나풀 떨어져 얼굴을 덮었다. 눈에 익은 글씨체로 뭔가가 쓰여 있는 종이쪽지였다. 꾹꾹 눌러쓴 모양이 태영이 글씨였다.

나는 반쪽이다. 태어날 때부터 온전하게 하나이지 못했다. 엄마 배 속에서도 나는 하나이지 못했고 지금도 마찬가지다. 나는 온전한 하나이기 위해 오늘도 공부한다.

술렁술렁 읽다가 벌떡 일어났다. 종이를 요리조리 돌려 보고 뒤집어 봐도 태영이가 쓴 글이 틀림없었다. 하지만 무슨 말인지 도통 알아먹을 수가 없었다. 다시 한번 읽어 보려는데 현관문 열리는 소리가 들렸다. 종이를 얼른 바지 주머니에 구겨 넣고 책을 원래 자리에 꽂았다.

"내 방에 막 들어오지 말랬다, 임태임."

태영이가 가방을 책상에 던지며 말했다.

"나갈게. 나가려고 그랬어."

태연하게 방문으로 향했다.

"그럼 쉬어, 동생."

문을 닫고 쏜살같이 내 방으로 갔다. 내 침대에 얌전히 앉아 방문을 노려보았다. 아무 소리도 들리지 않았고 태영이가 걸어오는 기척도 없었다. 슬며시 종이쪽지를 꺼내 다시 읽어 보았다.

"나는 반쪽이다, 태어날 때부터 온전하게 하나이지 못했다? 뭐래, 어째서 네가 반쪽이냐?"

알 수가 없었다. 자궁을 나눠 써서? 모유를 나눠 먹어서? 아빠 한쪽 팔만 차지해서? 유모차가 붙어 있어서?

"아, 진짜. 이게 공부만 하더니 미쳤나. 뭐 이딴 결론이 다 있어?"

침대에 벌렁 누웠다. 모름지기 쌍둥이라면 텔레파시 정도는 통해 줘야 하는 거 아닌가. 다 가진 태영이가 반쪽이라니, 태어날 때부터 200그램씩이나 빼앗아 간 놈이 뭘 빼앗겼다고 징징거리는 건지. 쪽지를 뚫어져라 노려보다가 침대 위로 휙 던져 버렸다. 웃긴 자식. 울컥 욕이 튀어나왔다. 되도 않는 미국 욕을 줄줄이 늘어놓다가 퍼뜩 영어 문법 쪽지 시험이 떠올랐다. 아차, 그것 때문에 태영이 방에 갔었지. 수업 시간에 점수가 공개되는 시험이라 뭐라도 해야 했다. 현우를 생각하면 더 그랬다. 다 외우지는 못해도 태영이가 밑줄을 그어 놓은 몇 개는 알아 둬야 할 것 같았다. 반쪽이라고 주장하는 태영이가 영 마음에 안 들었지만 발딱 일어나 다시 태영이 방으로 뛰어갔다.

우연이 만든 해

왼쪽 귀밑이 얼얼했다. 화장실 거울로 잠깐 확인했을 때는 멀쩡해 보였는데 이제 귀밑이 점점 부어오르는 것 같았다. 귀에서 지잉거리는 소리가 들려 자꾸 귀에 손이 갔다.

덕분에 몸 풀었다, 임태영. 그동안 지루했는데 땡큐다.

너는 호르몬 수치 괜찮냐? 갑자기 궁금해서.

문자 메시지가 계속 들어왔다. 나는 학원 버스에서 내리자마자 핸드폰을 무음 모드로 돌렸다. 으드득, 이를 꽉 깨물었다. 이 미친놈보다 내가 더 한심했다. 중학생 때도 안 해 본 주먹질을 하다니 믿어지지가 않았다. 그것도 임태임 때문이라니, 헛웃음만 나왔다.

현관에 들어서자 태임이가 얼굴에 괴상한 팩을 붙인 채 거실 한가운데 서 있었다.

"해, 내일 죽으면 어쩔래? 안 억울하겠어?"

뇌가 가벼운 내 쌍둥이 누이가 어울리지도 않는 질문을 해 댔다.

"자꾸 해, 해 할래?"

"그럼 네가 달 할래? 생각해서 시켜 줬더니만."

"SNS나 지워라. 피곤하니까."

"그러니까 너 피곤하게 하는 그 공부, 그거 하다가 갑자기 확 죽어 버리면 어쩔 거냐고. 갑자기 코피가 막 쏟아져서 피가 모자라는 거야. 아님 좀비 바이러스에 감염돼서 식욕만 남거나. 아니면 머리에 벌레가 들어가서 뇌를 막 파먹고……."

"헛소리 그만해라, 임태임."

찍어 누르듯 낮게 웅얼거렸다. 남자 형제라면 주먹이라도 한 방 날리고 싶었다. 하루 종일 카톡에 문자에 임태임이라는 이름이 떠나지 않았다. 이제 실물까지 나를 괴롭히고 있었다.

"너 이렇게 공부만 하다가 후회 안 하겠냐고. 하나밖에 없는 동생이니까 내가 충고해 주는 거야. 누가 그러는데 사람은 열여섯 살 때부터 최고로 예쁘대. 우리는 열일곱이니까 하이라이트지. 근데 이 눈부신 시기를 골방에서 썩히고 싶냐고. 안 억울해?"

쌍둥이라는 이름으로 색깔만 다른 똑같은 옷을 입을 때부터 혼자이고 싶었다. 아니, 그냥 다른 애들처럼 남매지만 별로 안 닮았거나 쌍둥이지만 눈에 잘 안 띄었다면 매번 세트 취급 당하지는 않을 것 같았다. 초딩 때부터 임태임과 엮이지 않으려 무던히 공부만 했지만 그것도 쉽지 않았다. 어느 순간부터 공부 잘하는 남자애와 공부 못하는 여자애 쌍둥이로 다시 묶여 버리고 말았다.

"너 나중에 뭐 되려고 그렇게 열심히 공부하는데, 어?"

태임이 목소리가 방으로 가는 내내 따라왔다.

"지겹다."

"지겨워? 그럼 하지 마, 공부."

"시끄러워. 엄마 부를까?"

"생각해서 말해 줬더니, 나도 됐거든!"

이어폰을 귀에 꽂았다. 영어 회화가 또렷하게 들렸다. 태임이 목소리가 멀어지고 있었다. 잘났다는 말도, 좋은 대학 가서 누나 스펙이나 드높이라는 말도, 기왕이면 성형외과 의사가 되라는 말도 희미해졌다. 하지만 내 방에 세워져 있는 전신 거울에 태임이와 닮은 내가 서 있었다. 거울을 발로 툭 차 옆으로 돌리고 침대에 털썩 주저 앉았다.

태임이는 어떤 스타일 좋아하냐?
쌍둥이니까 잘 알 거 아니야.
사귀는 애 있어?

친구, 나 생각보다 괜찮은 놈이다.
야반도주 같은 건 절대 안 할 자신 있어.
호르몬도 정상이고.
나 알지? 진실만 말하는 거.

'이쁜' 나이에 나도 좀 이쁘게 살아 보자.
평생 형님으로 숭배하마.
태임이가 동거하자고 하면
내가 절대절대절대로 거절할게!

핸드폰 불빛이 요란하게 반짝였다. 다시 태임이가 나를 괴롭히고 있었다. 생각해 보면 초등학교 때부터 이런 일들은 흔했다. 태임이 때문에 나한테 잘해 주는 녀석도 많았다. 일 년 내내 나에게 빵을 사 주고 내 고민을 들어 주던 가장 친한 친구 녀석도 전학 가기 전날 태임이를 좋아한다고 고백했다. 자기는 누구보다 먼저 태임이를 알아봤으며 나를 통해 태임이를 더 좋아하게 됐다고 했다. 그때는 몰랐는데 나중에 생각해 보니 꽤 엿같은 경험이었다. 난 그놈을 친구라고 생각했는데 그놈은 나를 징검다리로 생각했으니까.

우정이라는 것의 얄팍함을 어려서부터 알았는지 어쨌는지 그때는 화도 안 나던 일이 지금에서야 왜 새삼 화가 나는 걸까. 태임이라는 반쪽을 달고 다니는 거지 같은 기분은 요즘이 최고이지 싶었다. 모든 일은 순전히 태임이가 연극반에 들어가면서부터 시작됐다. 연극반에서 화장술을 배웠는지 연기를 시작했는지 나로서는 알 수 없었다. 내 나름대로 조용한 중딩 시절을 보냈다고 생각했는데 '예쁘장한 쌍둥이'가 고등학교에서 다시 부활할 줄은 꿈에도 몰랐다.

입학하고 연극부원을 뽑는다고 온 학교가 난리였을 때도 나는 그게 내 일이 될 거라고는 생각하지 못했다. 얼짱으로 유명했던 연극반 선배가 꽤 좋은 대학 연극과에 입학해 연예계까지 진출했다는 소문이 돌았다. 그 선배 사진은 나도 본 적이 있지만 그때만 해도 시큰둥했다. 그런데 어느 순간 '연극반 도플갱어 킹카'라는 말이 여기저기서 들리더니 곧 우리 반으로 여자아이들이 몰려들어 핸드폰으로 내 사진을 찍기 시작했다. "진짜 닮았다." 얼핏 들은 이 말 하나로 모든 것이 파악되었다.

'예쁘장한 쌍둥이'가 부활하면서 하나는 공부 잘하는 싸가지 없는 놈이 되었고, 하나는 행실이 단정치 못한 문제아로 수군거림의 중심이 되었다. 엮이기 싫어서 만들어 낸 거리감이 오히려 점점 나를 옭아매고 있었다. 보이지 않는 덫에 걸린 기분이 이런 걸까. 다 지나간 동거 소동이나 야반도주 이야기부터 남자들을 끌고 다니는 쭉쭉빵빵 마녀설까지, 임태임에 대한 온갖 소문들이 내게도 매달려 있는 것 같았다. 잠시 무시하고 살았던 '예쁘장한 쌍둥이'는 그렇게 점점 진화하고 있었다.

"있지, 태임이 꿈이 뭔지 알아?"

오늘 점심때도 김선영이 태임이를 들먹거리며 다가왔다. 태임이와 자주 통화를 하는, 예전에도 동거 계획이며 야반도주 경로까지 구체적으로 잘 알던 태임이의 오랜 친구였다. 나와는 과외와 학원을 같이 다녔다.

"뭔데?"

입을 꾹 다물고 있는데 옆에서 현우가 무심한 얼굴로 물었다.

"돈 많은 남자 만나서 시집가는 거래. 평생 예쁘게 살 거라던데."

예쁜 척 웃는 그 애한테서 진한 향수 냄새가 날아와 코를 찔렀다. 저절로 얼굴이 돌아갔다. 표정은 보지 못했지만 한심해 죽겠다는 말투가 또렷하게 들렸다.

"인생 목표 확실하지? 꿈을 이루려고 지금부터 준비하고 있더라니까. 얼굴 가꾸고 몸매 가꾸고. 남자 잘 고를 자신 있대. 대박이지 않냐? 존경스러워."

현우가 특유의 시큰둥한 얼굴로 나를 빤히 쳐다보았다. 그러고는 툭 내뱉듯이 말했다.

"우리보다 낫네. 우리는 꿈도 없잖아."

선영이가 의아하다는 듯 현우를 보았다. 현우는 그 눈길이 껄끄러운지 손에 들고 있던 빵을 크게 베어 물었다. 그러고는 우유를 단번에 마셔 버리고 자리에서 일어났다. 그런 현우가 놀라운지 선영이가 나를 쳐다보았지만, 나도 손에 들고 있던 빵을 한입에 털어 넣고 매점을 나왔다. 뒤통수에 선영이 눈초리가 따갑게 꽂히는 것 같았다.

다시 핸드폰에 눈이 갔다. 요란하게 깜빡이는 핸드폰 불빛을 노려보고 있으려니 까만 화면에 현우의 이름이 떴다.

동아리 이제 끝났다.
이번 연극, 태임이가 여주인공, 난 각본.

현우 카톡을 읽다가 저절로 얼굴이 일그러졌다. 태임이 이야기만 쏙 빼고 답장을 보냈다.

각본? 그럴 시간씩이나 있냐.

꽤 재미있어, 연극.

기말고사 1등의 여유냐, 부럽다.
임태임만 아니면 연극 연습 보러 놀러 가는 건데.

한동안 답이 없었다.

야, 임태영. 나 할 말 있다.

뭔데?

내일 학교에서 얘기하자.

뭔가 타이밍이 이상하다고 생각했지만 더 묻지는 않았다. 떨떠름하게 핸드폰을 보고 있는데 등 뒤로 뜨뜻한 기운이 느껴졌다. 고개를 돌려 보니 태임이가 바짝 붙어 서서 내 핸드폰을 들여다보고 있었다.

"야, 임태영, 너는 내가 창피하니? 왜 놀러 못 오는데?"

"뭔데!"

나도 모르게 목소리가 커졌다. 태임이는 입을 꾹 다물고 나를 빤히 쳐다보다가 뭔가 곰곰이 생각하는 얼굴로 말했다.

"큰맘 먹고 해 시켜 줬더니. 됐고, 내가 쿨하게 용서해 줄 테니까 이번 수학 예상 문제 몇 개만 찍어 주라."

하얗고 긴 손이 내 얼굴로 향했다. 얼른 수학 예상 문제 노트를 던져 주고 고개를 돌렸다. 갑자기 짜증이 몰려왔다. 갖가지 소문은 다 뿌리고 다니면서 늘 당당한 저 말투며 뭐든 쉽게 해결하려는 태도가 영 마음에 안 들었다. 연극부의 여주인공까지 맡았으니 또 무슨 소문이 떠돌려나. 내내 따라다니던 태임이라는 그림자가 이제는 걸림돌이 되고 있었다. 한때 예쁘장했던 쌍둥이가 이제 전교생의 가십거리로 바뀌고 있었다. SNS는 거기에 정점을 찍었다.

해와 달, 같은 크기로 보이는 재밌난 우연으로 인류는 많은 이야기를 공유한다. 우리도 소중한 우연으로 여기에 모여 있다. 그 우연을 가능하게 한 건 열일곱, 호르몬이 가장 이쁜 나이 때문. 멋진 우연으로 맺어진 우리, 빛나는 오늘을 보내자!

철자 틀린 건 그렇다 치고 내용이 어이가 없었다. 무슨 쓸데없는 소린지, 해와 달의 크기며 우연이며 호르몬이 예쁜 나이 열입곱? 아니나 다를까, 말 만들기 좋아하는 녀석들이 자율 학습 시간에 떠드는 이야기 속에도 임태임이 있었다.

"이거 뭔 소리냐? 일식 말하는 거냐?"

"야, 그게 중요한 게 아니잖아. 호르몬이 가장 이쁜 나이라잖아."

"오우, 나도 호르몬에 충실하고 싶다. 태임이 몸매 완전 죽이지 않냐? 몸이 막 뜨거워지는 거 같은데?"

한 녀석이 허리를 앞뒤로 흔들었다. 시선은 나를 향했다. 얼굴이 확 달아올라 저절로 고개가 돌아갔다. 그러자 녀석들이 득달같이 달려들었다.

"야, 임태영. 너 혹시 부끄럽냐?"

"나 땜에? 아님 임태임 땜에? 뭐든 그럼 안 되지, 둘 다 이루어질 수 없는 사랑이라니까."

어이도 없고 할 말도 없었다. 생전 처음 당해 보는 모욕에 뇌가 잠깐 멈춰 버린 것 같았다. 벌떡 일어나 아직도 허리를 앞뒤로 흔들고 있는 녀석 얼굴에 연습장을 날렸다. 연습장은 힘껏 날아가 녀석의 얼굴 어딘가에 부딪히고는 맥없이 떨어졌다. 녀석이 눈을 동그랗게 뜨고 고개를 빳빳하게 든 채 덤벼들었다. 나는 뒤도 돌아보지 않고 교실을 나왔다. 뒤에서 참으라는 목소리와 함께 신랄한 욕지거리가 따라왔다.

"아, 이제 알겠다. 쌍둥이는 이래서 재미있다니까. 얘기도 많고 사연도 많고. 하긴 거울 보듯 만날 보는 얼굴인데 정이 안 들면 그것도 남자가 아니지. 불타는 고딩인데 그걸 어떻게 막겠냐. 어쩔 수 없다는 거, 이 형님은 다 안다. 이해해. 소문 안 낼 테니까 고민하지 말고 형님한테 말해. 정 힘들면 좋은 비디오나 그림책이라도 빌려줄……."

어느새 내 몸은 다시 교실로 향하고 있었다. 주먹을 꽉 쥐고 녀석에게 달려들었다. 폼 나게 주먹을 날리고 싶었지만 몇 번 팔만 휘두르다 얼굴을 세게 얻어맞았다. 너무 아파서 눈도 못 뜨고 있다가 누군가에게 질질 끌려 교실 밖으로 나왔다. 거지같이 얻어맞았지만 다행이라고 생각했다. 녀석이 날린 주먹에 저절로 눈이 감겼고 귀가 얼얼해서 정신을 차릴 수가 없었다. 거울 앞에서 내 꼴을 보니 한심해서 웃음만 나왔다. 태임이를 지키기 위한 것도 아니고 뭣도 아니라 더 그런 것 같았다.

다음날 아침, 그 누구와도 마주치지 않으려고 일찍 학교로 향했다. 교실로 올라가는데 눈앞에 적당히 넓은 현우의 등짝이 보였다. 현우도 태임이 SNS를 봤을까, 설마 내가 싸운 건 모르겠지, 하고 머뭇거리다 현우 어깨를 툭 건드렸다.

"오, 진짜네. 너 멍 자국 올라온다. 범생이가 웬일이야. 싸움질도 하고."

역시 소문엔 발이 있었다.

"어쩌다 보니 그렇게 됐다."

"태임이가 엄청 감동하더라."

현우가 웃으며 나를 보았다.

"어쨌든 잘했어. 그런 자식은 패 줘야지. 나라도 패 줬을 거야."

물끄러미 현우를 보았다. 그러자 현우가 멋쩍은 얼굴로 말을 이었다.

"나, 태임이가 그런 취급 받는 거 싫다. 지켜 주고 싶어, 태임이."

밤새 잠을 못 자서 그런지 어제 맞은 귀에서 이명이 들리는 것 같았다. 현우는 벌써 자리에 앉아 가방을 내려놓고 있었다. 나를 보는 단단한 눈빛이 내가 제대로 들었다고 확인해 주는 것 같았다. '지켜 주고 싶어, 태임이.' 아무리 곱씹어도 무슨 말인지 알아들을 수가 없었다. 공부할 땐 팽팽 잘만 돌아가던 머리도 이럴 땐 딱 멈춰 버리는 것 같았다. 하지만 슬며시 웃는 현우 표정이 그 이유를 다 말해 주고 있었다.

"야, 여현우 너……."

"사실 나도 연극반 들어가기 전까지는 태임이 많이 오해했어. 소문만 듣고 비겁하게 굴었고. 근데 태임이가 먼저 다 말해 주더라. 들어 보니까 그냥 다 소문일 뿐이고. 태임이 엄청 힘들었겠더라. 근데 참 밝은 얼굴이라 내가 괜히 미안하더라고. 그리고 네가 가끔 태임이 투명 인간 취급하는 것도 걸렸고."

"뭔 소리야, 여현우."

"태영아, 나 진심이야."

더 할 말이 없었다. 만우절 농담도 먹히지 않던 놈이었다. 현우가 이렇게 멍청해 보이기는 처음이었다. 현우 옆의 태임이, 상상만 해도 끔찍했다. 집에서도 보는 얼굴을 학교에서도 어정쩡하게 현우와 같이 봐야 한다고 생각하니 짜증이 밀려들었다. 소문의 중심에 태임이와 현우가 있을 게 분명하고, 그 옆에 나까지 덩달아 오르락내리락할 게 뻔했다. 조용하게 보내고 싶은 내 고교 시절을 이딴 식으로 망치려 들다니. 나도 모르게 차가운 말이 툭 튀어나왔다.

"너, 태임이랑 사귀냐?"

"너한테 먼저 말하는 거야. 그게 맞는 거 같아서."

현우는 진지한 표정이었다. 평생 벗이라고 생각한 녀석이 발그레한 얼굴로 내 뒤통수를 치고 있었다. 어제 맞은 귀밑 통증은 댈 것도 아니었다.

"야, 여현우. 정신 차려. 우리 고 1이거든. 이 년 지나면 입시야.

연극부에 들어가더니 정신이 어떻게 된 거 아니냐."
"나 멀쩡해."
"너 태임이 SNS 못 봤어? 태임이가 만나는 대학생이 몇 명인지 알아? 사귈 마음도 없는 남자들한테 선물 받고 밥 얻어먹고, 너도 그중 한 명이 되고 싶은 건 아니지? 태임이에 대한 소문? 억측이라고? 중학교 3학년 때 교회 선배랑 동거하겠다고 난리 피웠던 거? 아님 동네 아는 놈이랑 야반도주한 거?"
그때 현우가 엉거주춤 일어났다. 시선은 나를 지나 뒤를 향했다. 현우 눈길을 따라 고개를 돌려 보니 하얀 얼굴에 긴 생머리, 올망졸망 모여 있는 눈 코 입, 길쭉한 팔다리를 한 임태임이 거기 서 있었다. 한동안 잊고 있었는지 화장술이 늘었는지 오늘따라 태임이가 꽤 예뻐 보였다.
"태임아……."
현우가 간신히 입을 떼었을 때 날카로운 뭔가가 내 얼굴로 날아들었다. 왼쪽 뺨에서 뭔가가 퍼럭, 하고 바닥으로 떨어졌다. 내 수학 예상 문제 노트였다.
"우리, 얼굴은 닮았는데 성격은 하나도 안 닮았어. 그치? 그래서 비교당했나 봐. 해와 달처럼. 근데 지금 생각해 보니까 해와 달도 웃기네. 가만 보니까 그렇게 만든 게 우리인 거 같다. 우리가 비교거리를 만들었나 봐. 이러고 으르렁거리면서. 근데 이제 나, 이런 거 안 하려고."

태임이는 숨도 안 쉬고 따박따박 말을 이었다.

"네가 반쪽이래서 내내 궁금했는데 우린 그냥 우연히 같은 자궁에서 태어났을 뿐이야, 반쪽 같은 거 아니라고. 비교할 것도 없는 그냥 각자 하나. 온전한 한쪽. 허락 없이 네 쪽지 읽어서 미안한데 이건 꼭 말해 주고 싶었어. 그리고 네가 안 궁금해하는 거 같아서 이제껏 말 안 했는데, 네가 방금 말한 그 동거, 중학교 3학년 때는 맞는데 교회 선배 아니고 남자 친구였어. 동거하겠다고 했던 건 맞아. 그때는 그게 진심이었으니까. 야반도주는 교회 오빠 친구들이랑 바다 보러 간 거야. 선영이한테 들은 줄 알았는데 서로 안 친한가 봐? 그리고 임태영, 달은 영원히 뒷모습을 안 보인다더라. 사람도 그래. 가까이 있다고 다 아는 것처럼 굴지 좀 말아 줄래? 어차피 한집에서 사니까 그림자만 보지 말고 전체 좀 봐 주라고. 아니, 기본적으로 뒤통수는 치지 말자. 그래야 앞으로 이 년 동안 너도 편하고 나도 좋을 거야."

태임이는 말을 마치고 획 뒤돌아서 교실 문으로 향했다. 그러다 뭔가 생각난 듯 고개만 살짝 돌리고는 이렇게 덧붙였다.

"그리고 너, 피해 의식 쩐다. 아무래도 우린 서양 이론이 맞는 거 같다. 해와 달이 된 다정한 오누이는 절대 아니니까."

태임이는 알 수 없는 말을 남기고 사라져 버렸다. 현우도 태임이를 따라 나가고 없었다. 교실 여기저기에서 웅성거리는 소리가 들렸다.

"야, 임태임 말 잘한다."

"해와 달이 뭐 어떻다는 거냐?"

멍하니 교실 문을 바라보았다. 아이들이 썰물처럼 빠져나가고 있었다.

혼자 교실에 앉아 태임이가 한 말을 되뇌어 보았다. 온전한 한쪽, 서양 이론, 해와 달이 된 오누이까지 어딘가 귀에 익은 말들이었다. 아주 오래전에 풀었던 수학 문제 같았다. 너무 어려워서 풀다가 그만둔 문제일까, 혹 내가 얻은 답과 태임이가 얻은 답이 다른 걸까. 텅 빈 교실에 덩그러니 앉아 있으려니 태어나서 처음으로 혼자가 된 듯 가슴 한쪽이 헐렁해지는 기분이었다.

심해의 눈사람

지구가 두꺼운 책이라면 육지는 첫 페이지에 불과하다.
심해의 신비는 인간이 가늠할 수 없을 만큼 깊고 넓다.

글씨는 뿌옇고 낡아 보였다. 손끝으로 글씨 하나하나를 쓸어 보았다. 까슬까슬하고 아득한, 촉촉한 느낌이었다. 내가 기억하는 엄마의 얼굴과 닮아 있었다. 살짝 올라간 입꼬리, 가만히 있어도 웃는 눈, 그 눈 밑의 까만 눈사람. 그리고 너울거리는 물결, 몸을 감싸는 빡빡함, 오래된 바다도 함께 떠올랐다. 기억 속에서 엄마는 늘 바다와 함께였다. 기억이 또렷해질수록 엄마의 얼굴은 흐릿한 바닷속에 숨어드는 것 같았다.

인간은 심해를 통해 또 다른 바다를 갈망한다.
인간이라면 누구나 건너야 하는 바다.
꼬박 열 달을 헤엄쳐야 하는 바다.
36.5도의 좁은 바다.

엄마의 다이빙 일지는 구 년 전에 멈춰 있었다. 날짜며 시간, 수심도 적혀 있지 않은 엉터리 일지였지만 엄마는 꼬박꼬박 바다를 적어 내려갔다. 두려움과 경외감으로 가득한 글, 분명 온몸으로 느낀 바다였다.

나는 마지막 장을 넘겨 까맣고 조그만 눈사람을 하나 그려 넣었다. 바다로 숨어 버린 엄마의 얼굴 중에서 가장 또렷하게 기억나는 부분이다. 왼쪽 눈 밑에 선명하게 자리 잡은 점. 점 두 개가 살짝 붙어 있어서 눈사람 같은 점. 내가 그린 눈사람을 물끄러미 내려다보았다. 까만 눈사람에는 웃는 입도 있고 웃는 눈도 있다. 그걸 가만히 보다가 일지에 글을 적었다. 엄마의 낡고 오래된 일지에 굵고 또렷한 글씨가 새겨졌다.

심해의 눈사람

글씨를 빤히 내려다보다가 핸드폰을 꺼내 문자를 보냈다.

아빠, 나 스쿠버 다이빙 배울래. ☺

……갑자기 왜? 😐

그냥. ☺

예상한 일이었지만 너무 오래도록 답이 없었다. 뭔가 이유를 대야 하나. 이런저런 생각을 하며 침대에서 뒹굴고 있는데 '띠링' 답이 날아왔다.

버디는 아빠가 한다.
바다에서는 혼자 못 다녀, 아빠가 딱 붙어 다닐 거야. ☺

으엑! ☹

아빠와 문자를 나눈 뒤로 나는 스쿠버 다이빙 연습을 시작했다. 그리고 엄마의 다이빙 일지에 나의 일지를 적어 나갔다.

2016년 4월 5일

수심: 9미터, 10미터

잠수 시간: 15분, 20분

귀가 먹먹해서 입을 크게 벌렸다. 떡, 하는 소리와 함께 귀가 뻥 뚫렸다. 공기통을 내려놓고 몸에서 물기를 털어 냈다.

수심 10미터가 넘는 둥그런 실내 수영장에는 서너 명의 사람들이 스쿠버 장비를 메고 유영하고 있었다. 위에서 내려다본 사람들은 작은 장난감 인형 같았다. 하나같이 까만 옷을 입은 고무 인형들.

스쿠버 다이빙을 배운 지 오늘로 딱 나흘째가 되었다. 결론은? 두렵지 않다.

소독약 냄새도 없고 하늘처럼 꾸민 타일 천장도 없는 바다로 가야 한다. 나는, 파도치는 바다가 필요하다. 갑갑한 고무 슈트를 벗으니 소리도 우렁찬 트림이 제멋대로 튀어나왔다.

어렸을 때는 해양 연구원인 아빠를 따라 자주 바다에 갔다. 아빠가 외계인 같은 옷을 입고 커다란 안경을 낀 채 가스통 같은 걸 등에 메고 바다로 들어가면 엄마와 나는 뱃전에 나란히 붙어 앉아 아빠를 기다렸다. 거기서 밥도 먹고 과자도 먹고 바다도 구경하다 보면 잔잔한 바다 어딘가에서 뽀골뽀골 공기 방울이 올라왔다. 그러고는 아빠가 얼굴을 내밀었다.

아빠는 바닷속 깊은 곳에 사는 광어나 돔 같은 물고기를 잡아와 종류별로 분류한 다음 배를 갈랐다. 물고기가 먹은 것을 보면 심해의 생태를 알 수 있다고 했다. 나는 그게 잔인하거나 무섭기보다는 그저 물고기 배 속을 보는 게 마냥 신기하고 재미있었다. 아마 그때 부레라는 걸 처음 보았던 것 같다. 물고기 배 속에 있는 부레는 무척 신기하고 예뻐 보였다. 은은한 은빛이 도는 귀엽게 생긴 흰 주머니. 손으로 몇 번 눌러 보다가 피식 공기가 새어 나오는 걸 보고 화들짝 놀랐던 기억이 난다.

그랬던 내가 초등학교 과학 시간에 처음으로 해 본 금붕어 해부를 그렇게 끔찍하게 기억하는 건, 아마도 그때 본 부레가 예전과는 달리 전혀 예쁘지 않았기 때문일 것이다. 아니, 어쩌면 부레가 부력을 조절하는 장치라는 사실에 충격을 받아서일지도. 그 전까지만 해도 부레 속 공기 때문에 물고기가 물속에서 그렇게나 오래 숨 쉴 수 있다고 생각했다. 엄마도 부레가 있을 거라는, 그래서 괜찮을 거라는 막연한 믿음이 순식간에 깨져 버린 순간이었다.

2016년 4월 16일

수심: 20미터

잠수 시간: 30분

넓고, 검고, 깊은 바다가 있다. 오래전 엄마를 삼켜 버린 그 바다가 내 앞에 있었다. 출렁이는 파도가 나를 향해 달려왔다.

입수!

나는 꼼짝도 할 수 없었다. 바다를 노려보며 멈춰 버렸고 시간도 멈춘 것 같았다. 파도만이 끝없이 밀려들었다. 맞설 수 있다, 이길 수 있다, 이런 말들이 한없이 작게 느껴지는 순간이었다.

입수!

바다에서 아빠가 나를 보고 있었다. 나는 눈을 부릅뜨고 바다를 노려보았다. 바다는 변하지 않았다. 아니, 바다는 변하는 게 아니다.

입수!

풍덩—.

숨이 턱까지 차올랐다. 몸이 뻣뻣하게 굳어 갔다. 다리를 흔들고 팔을 휘젓고 몸을 움직였다. 몰랐던 추위가 빠르게 몰려왔다. 차가운 바늘이 잠수복을 뚫고 몸속 깊이 파고드는 것 같았다. 바다는 한 계절이 더디니까 지금이 진짜 겨울 바다다. 간신히 고개를 숙여 내려다본 바다는 끝없이 시커멓기만 했다.

하강!

아빠가 코앞으로 다가와 엄지를 치켜들었다가 밑으로 향했다.

하강!

굳어 버린 손가락을 펴 엉성하게 동그라미를 그려 보였다. 어느새 아빠는 바다로 깊이 들어가고 있었다. 아빠를 놓치지 않으려 호흡기를 꽉 물고 비씨(부력 조절기)에 공기를 뺐다.

내려가자. 나는 서서히 바다에 스며들었다.

웅웅웅, 뽀로락뽀로락.

알던 소리가 멀어지고 몰랐던 소리가 다가왔다.

천천히 아래로 내려갔다. 배와 심해를 연결한 밧줄만이 흐릿하게 아래로 향하고 있었다. 밧줄을 잡고 내려갈수록 차가운 기운이 온몸에 착 달라붙었다. 바다가 빡빡하게 나를 눌러 왔다. 수심계가 움직이기 시작했다. 내 안에 숨은 두려움도 같이 움직였다.

수심 5미터. 잠시 밧줄을 잡고 기다렸다. 몸이 바다에 적응해

가는 깊이다. 물안경 옆으로 공기 방울이 수없이 올라갔다.

수심 10미터. 다시 정지. 이제 서서히 바닥이 보인다. 겨울 바다는 짙고 어둡다. 압력도 느껴진다. 나는 밧줄에 매달려 압력을 견뎠다. 더 많은 공기 방울이 위로 올라갔다. 이렇게 많은 공기를 축내고 사는구나. 육지에서는 몰랐던 것들이 눈으로 보이는 순간이었다.

수심 20미터. 이제 초보가 들어갈 수 있는 한계점이다.

모랫바닥에서 수신호를 주고받는 테스트를 받았다. 내려가자, 올라가자, 귀가 아프다, 공기통이 이상하다. 꼭 필요한 수신호를 한 번씩 보내 보고 물속에서도 쓸 수 있는 메모장으로 대화도 나눴다.

테스트가 끝나자 몸이 심하게 흔들렸다. 추위 탓인지 두려움 탓인지 알 수 없었다. 발끝의 오리발도 무겁게 떨려 왔다. 모랫바닥에 무릎을 꿇고 앉아 숨 하나하나에 집중했다. 내쉬는 숨에 몸이 가라앉고 들이쉬는 숨에 떠올랐다. 가만히 앉아 있기가 쉽지 않았다. 몸이 물살에 사정없이 흔들리고 기울었다. 아래턱도 제멋대로 떨렸고 팔다리도 꼴사납게 후들거렸다.

"추워 죽겠네, 뭐가 엄마 품처럼 포근해!"

호흡기를 문 채 고함을 질렀다. 부루룩, 입 속에서 커다란 공기 방울이 터져 나왔다. 순간 호흡기가 빠질까 봐 공포에 질린 나는 죽지 않으려 이가 얼얼할 정도로 호흡기를 꽉 물었다.

수면 위로 나오자마자 호흡기를 빼고 물살에 흔들렸다. 태어나 쉬는 첫 숨인 듯 급하게 숨을 몰아쉬었다.

"괜찮아?"

아빠 목소리가 들렸다.

목소리가 들리는 방향으로 고개를 돌렸다. "어." 하고 짧게 대답하는 순간, 바닷물이 훅 들이쳤다. 그 많은 바닷물을 꿀꺽 삼키고는 말로 할 수 없는 짠맛에 숨이 턱 막혀 왔다. 나는 그렇게 바다와 첫인사를 했다.

"자, 뜨끈한 해물잡탕입니다."

오돌오돌 떨고 있으니까 아빠가 커다란 냄비를 들고 나왔다. 아빠는 첫 다이빙을 마치면 꼭 해물라면을 먹어야 한다고 했다. 같이 테스트를 받은 사람들 틈에 앉아 김이 모락모락 나는 냄비 안을 들여다보았다. 해초가 잔뜩 붙어 있는 소라며 게 다리에 면발이 휘감겨 있었다. 곧 후루룩후루룩, 짭짭, 라면 먹는 소리가 커다랗게 들렸다. 엉뚱한 질문도 날아들었다.

"해서라고 했나? 고 1이면 공부해야 되는 거 아니야. 이거 왜 배우냐?"

"해요, 공부."

"너도 해양 연구원 되려고?"

"아니요. 그냥 쿠스토처럼 해 보고 싶어서요."

흘끔 아빠를 보고선 태연하게 대답했다. 둘러댄 답치고는 꽤 그럴싸하다고 생각했다.

자크이브 쿠스토는 최초의 해저 탐험가이며 공기통과 일체형 수중 카메라를 개발한 사람이다. 쿠스토가 개발한 스쿠버 장비 덕분에 인간은 심해를 알게 됐고 바닷속에서 자유로워졌다. 나는 쿠스토의 얼굴도 모르지만 쿠스토에 대해서 얘기하던 엄마의 목소리를 기억한다.

엄마는 쿠스토가 해저 도시를 만들었다면 자기는 거기서 살았을 거라고 했다. 거친 파도와 사나운 물살이 없는 잔잔한 해저 도시를 오래전부터 꿈꿨다고 했다. 쿠스토가 해저 도시를 만들지 못한 건 고래만큼 바다를 사랑하는 사람이 많지 않기 때문이라고, 육지에서 바다로 뛰어든 고래처럼 용감한 사람이 없기 때문이라고 했다.

"쿠스토는 부레를 보고 힌트를 얻었을 거야. 부레는 공기주머니잖아. 얼마나 기발해, 바다에 공기주머니를 가지고 들어갈 생각을 하다니. 터지지만 않으면 일주일이고 한 달이고 내내 바닷속에 있을 수 있잖아."

엄마가 그런 이야기를 할 때마다 아빠는 늘 그게 아니라고 했다. 뭐가 아니라는 건지는 알 수 없었지만, 아빠가 아니라고 하면 엄마는 내게 귓속말로 소곤거렸다.

"나는 해서한테 말한 건데. 아빠는 정말 재미없다. 그치?"

생각해 보면 엄마가 느끼는 바다와 아빠가 아는 바다는 무척 달랐다. 엄마는 한 번도 들어가 본 적 없는 바다를 그리며 상상했고 아빠는 바다를 실험실 삼아 연구하고 분석했다. 물론 어린 나에게는 엄마의 바다가 더 놀랍고 신비로웠다.

지금도 엄마가 들려준 바다 이야기를 몇 가지 기억한다. 물거미처럼 공기 방울을 조금씩 모아다 만든 거대한 물방울 집, 작은 물고기들이 모여 숨바꼭질을 하는 피시볼, 고래가 다시 육지로 올라오기 위해 사라진다는 심해의 블랙홀. 엄마의 바다 이야기는 너무 놀라워서 늘 입을 벌리고 들어야 했다. 하지만 실제로 바다에 들어간 엄마는 어땠을까. 정말 바다는 신비롭고 아름다웠을까. 늘 이 지점에서 생각이 멈추곤 했다.

"엄마, 거기는 괜찮아?"

입 안 가득 라면을 머금고 조그맣게 웅얼거려 보았다. 갑자기 차가운 바람이 불어 젖은 머리를 흔들었다. 온몸에 소름이 돋았다. 몸을 동그랗게 말고 라면 그릇을 꽉 끌어안았다.

*

몇 번의 테스트를 거치고 한 달이 조금 지난 어느 날, 스쿠버 다이빙 자격증이 날아왔다. 우리나라 밖에서 따낸 나의 첫 자격증이자 국제적 바다 이용권이었다. 나는 자격증을 손바닥에 올려놓고 유심히 살펴보았다. 영문 이름과 생년월일 옆에 어색한 내 얼굴이 붙어 있었다. 뒷면에는 돌고래가 헤엄치는 그림과 PADI라는 글씨가 박혀 있고 그 옆에는 둥근 지구 그림에 별이 다섯 개나 그려져 있었다.

나는 핸드폰 카메라로 자격증을 찍었다. 앱으로 별 다섯 개 위에 빨간 동그라미를 그리고 아빠에게 문자를 보냈다.

이거 불가사리인가? ⊙

나는 중학생이 되면서부터 아빠와 문자로 대화를 나누었다. 엄마가 사라진 뒤, 표정 없이 지내던 우리에게 문자는 여러 가지 표정을 갖게 해 주었다. 내가 웃는 얼굴을 하면 아빠도 웃었고 내가 찡그리면 아빠도 찡그렸다. 어떤 방식으로든 우리가 표정을 갖게 된 것에 나는 만족했다.

축하한다! ☺

"치, 재미없어."

자격증을 가슴에 품고 침대로 몸을 날렸다. 침대에서 뒹굴고 있으려니 오래된 기억 하나가 툭 튀어 올랐다. 침대의 포근함이 기억을 퐁퐁 피어나게 한 것 같았다.

그때 나는 아빠가 잡아 올린 물고기를 물끄러미 보고 있었다. 그것은 금붕어처럼 꼬리를 살랑거리지도 않았고 동그랗지도 않았다. 그저 납작한 모양이었다. 나는 납작한 물고기를 다시 동그랗게 만들어 주고 싶었다. 내가 손을 내밀자 물고기는 하얀 배를 드러내며 거세게 파닥거렸다. 나는 발을 동동 구르다 물고기가 찌그러졌다고 울음을 터뜨렸다.

"해서, 뚝. 엄마 저기 보이네. 이제 갈 거야. 그러니까 뚝 해."

아빠는 내내 이 말만 되뇌면서 내 엉덩이를 토닥거렸다. 나는 눈물 사이로 흐릿하게 보이는 바닷가를 향해 더 크게 울었다. 아빠는 난처한 얼굴로 한참 이마에 주름을 만들다가 아까와는 전혀 다른 목소리로 나를 불렀다.

"음…… 해서야, 아빠가 재미있는 얘기 해 줄게. 옛날에는 사람도 물고기였거든. 바다에 사는 물고기 말이야……."

엄마가 아닌 아빠가 들려주는 바다 이야기라 나는 울음을 뚝 그쳤다.

"아주 먼 옛날에는 그러니까, 할머니의 할머니의 할머니도 물고기였대. 그래서 사람들이 바다를 좋아하는 거야, 엄마처럼. 그러니까 이 물고기도 바다가 좋아서 이렇게 납작해진 거야. 왜냐하면 겁이 많아서 그래. 음…… 바다는 너무 좋은데 헤엄치기엔 숨 막히고 그래서 그냥 바닥에 딱 붙어 살기로 한 거지. 이렇게 납작해져서라도 바다에서 살려고. 그러니까 찌그러진 거 아니야."

알쏭달쏭하기만 했다. 그때 아빠가 "부레!"라고 큰 소리로 외쳐서 나는 몸이 들썩일 정도로 깜짝 놀랐다.

"맞다, 부레! 해서, 부레 알지? 이 물고기도 부레가 있어서 괜찮아, 아무리 납작해도 부레가 있으니까 숨 막히지 않고 헤엄도 잘 칠 수 있어. 그러니까 해서가 동그랗게 펴 주지 않아도 돼."

하지만 커다랗게 툭 튀어나온 눈에 손톱만 한 지느러미를 보니까 괜찮을 것 같지가 않았다. 게다가 사람이 물고기였다니, 눈앞에서 파닥거리는 못생긴 물고기를 보니 다시 눈물이 솟구쳤다. 아빠가 나를 놀리는 게 틀림없었다. 아주 옛날이라지만 사람이 물고기인 적이 있었다면 내가 물속에서 그렇게 숨이 막힐 리가 없으니까.

내가 다시 울먹울먹 입을 실룩거리자 아빠는 그 물고기를 두 손으로 조심스럽게 잡아 올리더니 배 난간으로 다가갔다. 그러고는 팔을 기울여 물고기를 바다로 흘려 보냈다. 아빠는 잡아 온 다른 물고기들도 한 마리 한 마리 바다로 풀어 주었다. 물고기들은 미끄러지듯 바다로 사라졌다. 마치 바다로 스며드는 것 같았다. 놀란 얼굴로 그 모습을 보다가 문득 마술사가 휴지 뭉치를 비둘기로 바꾸는 마법이 떠올랐다. 어쩐지 아빠 말이 진짜일지도 모른다는 생각이 들었다.

2016년 6월 11일

수심: 25미터, 30미터

잠수 시간: 30분, 30분

제주 바다는 잔잔했다. 배를 타고 남쪽으로 이십 분쯤 달리니 바다는 한결 평평해졌다.

파도가 없는 바다에 손을 담가 가만히 바다를 움켜잡았다. 바다는 손가락 사이로 주르르 빠져나갈 뿐이었다.

하강!

밧줄 없이 바다를 수직으로 내려갔다. 버디인 아빠가 눈짓으로 물으면 나는 손가락으로 동그라미를 그려 대답했다. 우리는 바닷속 깊이 파고들었다.

수심 25미터에서 30미터 사이에서 멈춰 물고기며 해초를 구경했다. 아쿠아리움이나 텔레비전에서 본 것과는 달랐다. 훨씬 크고 선명했다. '리얼'이다.

모랫바닥에 무릎을 꿇고 앉았다. 연산호는 물살에 너울거렸고 하얀 씬벵이, 자리돔, 흰동가리, 거북복이 책에서 툭 튀어나온 듯 헤엄치고 있었다. 이름을 알 수 없는 물고기들이 모래 속에 몸을 숨겼고 수많은 보말과 말미잘들이 살아 움직였다. 돌에 붙은 불가사리도 화려한 빛을 내뿜고 있었다.

한참을 바닥에 붙어 구경하다가 문득 쿠스토 이야기가 떠올랐다. 쿠스토는 처음 공기통을 메고 바다로 들어갔을 때 물속에서 공중제비를 돌고 한 손가락으로 물구나무도 서면서 웃음을 참지 못했다고 한다.

엄지를 세워 가만히 모랫바닥을 짚어 보았다. 물살을 이용해 몸을 거꾸로 밀어 올렸다. 두 다리가 수직으로 떠올라 하늘로 향했다. 모랫바닥에는 엄지손가락 하나만 박혀 있을 뿐이었다.

성공!

바다는 육지보다 인간에게 더 관대하다.

구 년 전 그날, 엄마와 나는 아빠를 마중 나갔다. 태풍이 오고 있었고 우리는 갯바위 위에 서서 아빠를 기다렸다. 갑자기 차가운 바람이 몰려왔고 그 바람은 순식간에 바닷물을 머금었다. 바람은 옷틈으로 깊이 파고들며 우리를 자꾸만 뒤로, 뒤로 밀어 냈다. 마치 아빠와 우리 사이를 갈라놓으려는 것 같았다. 나는 꾸역꾸역 바다로 나아갔고 엄마는 나를 잡아끌었다. 엄마 손을 뿌리치고 도망치듯 바다로 나갔을 때 순식간에 하얀 거품이 눈앞에 다가왔고 모든 것이 까맣게 물들었다. 내가 다시 눈을 떴을 때, 엄마는 보이지 않았다. 수많은 사람들 사이로 문득문득 커다란 파도가 빠르게 밀려왔다 사라졌다. 사나운 파도는 소중한 무언가를 숨기고 있는 것 같았다.

그날 이후 아빠는 불 꺼진 방에서 자주 어깨를 들먹였고 웃지 않는 사람이 되어 버렸다. 나는 웃지 않는 아빠가 낯설어 엄마에 대해서는 아무것도 묻지 않았다. 아니, 묻지 못했다. 아빠는 다가갈 수 없는 커다란 동굴 같았다. 한동안 아빠는 눈에 바다를 머금고 있었다. 일렁이는 그 바다를 나는 아직도 기억한다.

2016년 7월 3일

수심: 60미터

잠수 시간: 20분+?

확실히 다른 압력. 수직 하강을 하며 다리에 힘을 주었다. 자꾸 귀가 먹먹해져서 코를 막고 숨을 불며 자주 이퀄라이징을 했다. 바다가 빡빡하게 다가올수록 찌그러진 깡통이 떠올랐다. 흐릿하던 공포도 또렷하게 다가왔다. 그 또렷함에 마음은 오히려 한결 차분해지는 것 같았다.

수심 40미터의 바다는 생각보다 짙은 색이었다. 모랫바닥도 차갑고 조용했다. 몸에 힘을 빼고 숨을 오래 들이마셨다. 그러다 모래에 폭 파묻힐 듯 몸이 가라앉았다. 다시 숨을 오래 내쉬어 몸을 떠올렸다. 그렇게 한동안 매의 정지 비행을 흉내 내다 바닥에 딱 붙어 버렸다. 허우적거리며 몸을 다시 떠올리려는데 오리발이 자꾸 모래 회오리를 일으켰다. 몸도 마음도 바다에 익숙해지려면 시간이 필요했다.

아빠는 산란을 준비하는 해삼을 촬영하고 있었다. 해삼 몸통 어딘가에서 뿌연 연기 같은 것이 뿜어져 나왔다. 바다 여기저기에 밥을 짓는 것 같았다. 한참 지켜보다가 모래 언덕 뒤에서 또 다른 심해를 발견했다. 그곳은 깊고 검었다. 시커멓고 깊은 그 끝에 동굴도 있었다. 동굴은 심해와 잘 어울렸다. 나는 동굴에 이끌려 몸을 길게 뻗었다.

동굴이 점점 가까이 다가왔다. 자세히 보려 눈을 크게 뜨고 목도 길게 뺐다. 발끝에서 오리발이 묵직하게 흔들렸다. 다리가 뻑뻑하게 아파 올 때쯤 동굴이 선명하게 보였다.

동굴이 눈앞에 있는 것 같았다.

아니, 있었다…….

나는 수심 60미터를 넘었다는 것을 알았다. 모래 언덕을 넘어 버디를, 아빠를 떠나왔다는 것도 알았다. 심호흡을 하며 모래 언덕을 눈으로 좇았다. 아빠를 찾아야 했다.

그러나 몸은 동굴을 벗어나지 못했다. 끝없이 검은 동굴이 크게 입을 벌려 나를 환영하고 있었다. 빨려 들 듯 동굴로 몸을 옮겼다. 물살에 떠밀리는 건지 동굴이 나를 빨아들이는 건지 알 수 없었다.

그때 느닷없이 검은 그림자가 내 옆을 스치고 지나갔다. 눈도 깜짝할 수 없었다. 몸은 굳어 갔고 호흡도 거칠어졌다. 무수히 많은 공기 방울이 부루락부루락 뿜어져 나왔다. 사방은 어둡고 검은색으로 가득했다. 말로 표현할 수 없는 공포가, 두려움이 밀려왔다. 검은 그림자가 다시 스쳐갔다. 물살이 느껴질 만큼 가까운 거리였다. 그림자는 내 등 뒤로 천천히 돌고 있었다. 나는 보이지도 않는 그림자를 향해 눈동자를 굴렸다. 검은 그림자가 다시 내 앞으로 다가왔다. 느리고 거대했다. 순간 시간이 멈춘 것 같았다. 머릿속은 빛과 같이 밝았고 눈앞은 칠흑같이 어두웠다. 시야가 좁아지고 눈앞이 일그러졌다. 숨이 가빠 왔다. 더 많은 공기 방울이 위로 올라갔다.

위로, 그래, 올라가자. 올라가면 안전하다!

생각할 겨를도 없이 위로 향했다. 다리에 힘을 주었다. 오리발이 급하게 물살을 갈랐다. 그때, 묵직한 힘이 나를 아래로 잡아끌었다. 미친 듯이 그 힘을 털어 내고 죽지 않으려 호흡기를 꽉 문 채 위로 향했다. 곧, 강한 힘이 나를 감싸 안았다. 두려움이 가득한 눈, 아빠였다.

"해서, 너. 갑자기 위로 올라가면 폐가 터져서 죽을 수도 있다는 거 몰라? 버디를 벗어났다는 건 알고 있어? 버디와 5미터 이내에 있어야 해. 그 이상은 안 돼!"

아빠는 한 글자, 한 글자 또박또박 말했다. 화가 났을 때 나오는 말투였다. 하지만 아빠의 목소리는 모터 소리에 묻혀 점점 멀어졌다. 내 머릿속은 하얀 눈사람으로 가득했다. 그것은 조개와 따개비, 해초로 뒤덮여 있었고 까만 진주알 같은 눈동자를 굴려 나를 훑고 있었다. 그림자같이 까만 몸통에 눈 밑에는 눈사람을 닮은 하얀 얼룩이 있었다. 집채만 한 고래였다.

"한 번만 더 그러면 해서 너, 잠수 못 해."

아빠는 다시 또박또박 말했다. 나는 입을 꾹 다문 채 고개만 끄덕였다. 수심계가 60미터를 넘었다는 말은 결국 하지 못했다.

2016년 8월 16일

수심: …0미터

잠수 시간: …?

책에서만 봤던 바다민달팽이를 보았다. 노란 몸통에 까맣고 선명한 줄이 두 개였다. 다른 바다에서는 볼 수 없는, 제주 바다에서만 볼 수 있는 종이라고 했다. 안 되는 걸 알면서도 바다민달팽이를 살짝 건드려 보았다. 너울너울 나비처럼 날아갔다. 나는 아이처럼 바다민달팽이를 따라갔다. 어렸을 때 나비를 따라가다 혼자가 된 적이 있었다. 한참을 그렇게 서 있어도 두렵지는 않았다. 기다리면 늘 엄마가 나타났으니까, 한여름에도 눈사람은 사라지지 않았으니까. 나는 나비를 따라가듯 바다민달팽이를 따라갔다.

그러다 문득 주위를 둘러보니 아빠가 보이지 않았다.

또, 혼자가 되고 말았다. 다시 버디를 떠나온 것이다.

머리 위로 흐릿한 빛이 들어오고 있었다. 나는 바다 한가운데에 서서 가만히 다리를 흔들었다. 물살이 나를 살랑살랑 흔들어 주었다. 걱정이, 근심이, 아빠가, 사라졌다.

나는 눈사람 고래를 찾아 천천히 심해로 향했다. 내려갈수록 바다는 흔들림 없이 정지되어 있었다. 공기 방울은 그 정지를 깨고 가볍게 위로 올라갔다.

휘이, 휘이익, 휘이—.

그때 멀리서 흐릿한 소리가 들렸다. 누군가 침묵을 깨고 있었다. 소리가 들리는 곳, 저 멀리 그림자가 보였다. 고래 무리 같았다. 눈사람 고래도 저기 있을까. 고래 무리는 나를 부르는 듯 한곳에서 빙글빙글 맴돌다가 방향을 틀어 심해로 내려갔다. 나도 심해로 향했다. 고래 무리는 끝도 없이 아래로 내려갔다. 심해와 비스듬하고 팽팽한 줄로 연결된 듯 흐트러짐이 없었다. 나는 고래가 일으키는 물살을 느끼며 수심계도, 산소 게이지도 필요 없는 고요한 심해로 갔다.

얼마만큼 내려갔을까, 갑자기 하얀 점이 하나둘 나타났다. 눈송이 같은 것들이 무수히 바다에 떨어지기 시작했다. 겨울밤,

조용히 내리는 함박눈 같았다. 나는 눈 내리는 심해를 가로질렀다. 눈송이들은 비스듬히 내 옆을 지나갔다. 평평하고 넓은 바위를 돌아 하얀 벌판을 지났다. 여전히 하얀 것들은 내 옆을 비켜 아래로 쌓이고 있었다. 다리가 뻐근하게 저려 왔고 머리가 둔하게 흔들렸다. 숨이 가빠 오고 목이 따끔거렸다. 그때 저 멀리 동굴이 보였다. 그 동굴로 고래 무리가 사라지고 있었다.

심해의 블랙홀?

그곳은 고래 무덤이었다. 고래는 심해를 유영하다가 때가 되면 고래 무덤으로 향한다고 했다. 그러고는 조용히 죽음을 기다린다. 고래는 아무것도 먹지 않고 꼬박 몇 달을 유영하기도 한다. 고래에게 죽음은 슬픔이 아니다. 그저 돌아가는 것이다. 고래는 그렇게 죽음을 맞이한다고 했다.

동굴 안쪽으로 고래 뼈가 끝없이 누워 있었다. 마치 고래가 누워 있는 것처럼. 심해의 블랙홀은 한번 들어가면 다시는 나올 수 없다고 했다. 수심계를 보았다. 수심계는 고작 0미터였다. 0미터? 나는 망설임 없이 안으로 들어갔다. 들어갈수록 주위가 점점 밝아졌다. 수많은 고래 뼈에서 밝은 빛이 흘러넘쳤다. 바닥에는 하얀 눈송이가 소복이 쌓여 있었다.

저만치 앞서가던 고래 무리가 천천히 한곳을 맴돌았다. 그곳에는 뿌옇고 낡은 배가 누워 있었다. 나는 고래를 따라 배의 좌현을 돌아 뒤로 향했다. 다시 우현으로 방향을 틀어 고래들이 사라진 어딘가를 더듬었다. 동그란 손잡이가 달린 문이 하나 있었다. 두 다리를 문에 올리고 문고리를 힘껏 돌렸다. 뿌드득, 문이 열리면서 희뿌연 것들이 시야를 가렸다. 수많은 해초와 따개비들이 후두두 떨어졌다.

배 안은 안개가 낀 듯 뿌옜지만 아늑했다. 그 흐릿함에 익숙해지자 저만치 나지막한 모래 언덕에 그네가 보였다. 방금 전까지 누가 앉아 있었던 듯 흔들리고 있었다. 그네는 어딘가로 끝없이 이어진 줄에 묶여 있었다. 이상하게도 그 줄을 타고 소리가 흘렀다. 온갖 노랫소리며 웃음소리가 뒤엉켜 줄 위를 굴러다녔다. 그 뒤엉킨 소리 속에 익숙한 목소리가 섞여 있었다. 아빠가 소리 내어 웃었나? 노래를 불렀나?

소리를 따라갔다. 너무나도 따뜻한 불빛이 나를 이끌었다. 웅성거리는 소리와 다정한 목소리, 알 수 없는 냄새. 갑자기 숨이 막혔다. 눈앞이 흐릿해지고 가슴이 답답했다. 몸이 기우뚱 휘청거리는 동시에 묵직한 힘이 나를 잡아끌었다. 뭔가가 나를 당기고 있었다. 나는 위로, 위로 올라갔다. 눈앞에 하얀 눈사람이 어른거렸다.

엄마?

나는 아무런 저항도 하지 않고 끌려갔다. 노랫소리가 쟁쟁거렸고 공기 방울이 수없이 위로 올라갔다. 소리는 점점 멀어지고 몸은 붕 떠올랐다. 하얀 눈사람이 아득하게 멀어지더니 머릿속이 까맣게 물들었다. 어둠 속에서 까만 눈사람이 웃고 있었다.

눈을 떴을 때, 나는 병원 침대에 누워 있었다. 질소 중독이라고 했다. 잠수부들에게는 드물지 않은 사고로 환각 증상이 일어나는 잠수병이라고 했다. 가만히 병원 천장을 바라보았다.

'엄마를 본 건가. 아니면 모두 환상이었나.'

고개를 돌려 아빠를 보았다. 노여움과 피로에 지친 얼굴이었다. 두려움과 싸웠던 눈에 슬픔이 가득했다.

"아빠……."

나는 말라붙은 입술을 힘겹게 떼었다.

"바닷속에서 나, 편안하고 포근했어. 사람은 원래 물고기였다는 거, 맞나 봐."

아빠는 놀란 얼굴이었다.

"해서야……."

"고래도 처음 바다에 들어갔을 때는 숨 막히고 힘들었을까?"

"……."

"그랬겠지? 근데 숨 막히고 힘들어도 또 바다로 들어가고 싶은 건, 아마도 바다는 원래 포근한 곳이니까, 숨 막히게 아름다운 곳이라 그런 거 같아."

평소처럼 말하고 싶었지만 어쩐지 자꾸 숨이 가빠 와, 말을 끊어서 내보내야 했다.

"아빠, 엄마도 그랬을까?"

아빠는 한동안 말이 없었다. 아빠의 눈동자가 불안하게 흔들리고 있었다. 오래된 기억 속의 그날이 아빠와 나 사이에 오롯이 떠올랐다.

"엄마도, 숨 막히고 힘들지만, 그래도 바다니까, 숨 막히게 아름다운 바다니까, 바다는 원래 포근한 곳이니까, 거기에 계속 있고 싶어서, 그래서……."

아빠의 눈에 물이 가득 차오르는 것 같았다. 아빠가 급하게 고개를 떨궜다. 고개를 숙인 아빠 어깨가 미세하게 떨리고 있었다.

"미안하다, 해서야. 아빠가, 아빠가 정말 미안해."

엄마가 돌아가신 뒤, 처음으로 아빠와 엄마 이야기를 나눴다. 내가 엄마를 죽음으로 몰아넣었다는 죄책감을 심어 준 것이 아빠가 아니라는 건 잘 알고 있었다. 하지만 아빠의 긴 침묵이 내 몸속 어딘가에 커다란 구멍을 뚫어 놓은 것 같았다. 그 구멍 속에는 핸드폰 이모티콘보다 훨씬 많은 표정들이 가득 들어차 있었지만 정작 엄마라는 말을 꺼낼 때 써야 하는 표정은 없는 것 같았다.

침대에 닿을 듯 고개를 숙인 아빠가, 혹시 지금 그 표정을 짓고 있는 건 아닐까, 갑자기 아빠 얼굴이 궁금해졌다. 천천히 손을 뻗어 아빠 머리를 가만히 흔들었다. 순간 고개를 숙인 아빠 얼굴 밑으로 동그란 물방울이 툭, 하고 떨어졌다. 침대 시트에 동그랗고 축축한 무늬가 번지고 있었다. 점점 짙어지고 넓어지는 그 자국을 보고 있자니 가슴께가 말도 못 하게 아파 왔다. 숨이 가빠 와 크게 들이마시고 내쉬었다. 알싸한 소독약 냄새가 가슴 가득 들어차는 듯했다. 이곳에 있는 공기를 하나도 빠짐없이 모두 들이마시려는 듯 가슴을 부풀리다가 온몸이 떨려 왔다. 눈앞이 뿌옇게 흐려졌다. 눈앞에서 아빠가 일렁였다. 사나운 파도가 일었다.

2016년 10월 30일

수심: 0미터

잠수 시간: 2분

아빠는 오늘도 다이빙을 허락하지 않았다. 나는 골난 얼굴로 배에 앉아 있다가 바다로 뛰어들었다. 스노클을 입에 물고 얼굴을 바다에 담갔다. 저 아래 심해에는 아빠가 있다. 조용히 물 위에 떠 심해를 보았다. 모든 것이 편안하고 안락했다. 스노클을 빼고 혼자 힘으로 바다를 바라봤다. 푸르고 깊은 바다가 한가득 들어왔다. 온몸에 힘을 빼고 물살에 흔들렸다. 물살이 어디든 나를 데려다줄 것 같았다. 입에서 뽀로록뽀로록 거품이 뿜어져 나왔다. 눈앞에 무수히 많은 공기 방울이 머물다 사라졌다.

물고기가 사람으로 진화하기까지 육지는 얼마나 숨 막히고 힘든 곳이었을까. 아가미가 사라지고 폐가 생기기까지 얼마나 많은 숨을 참아야 했을까. 고래도 그랬겠지. 그리고 엄마도…….

몸에 힘을 주어 심해로 향했다. 아가미도 없이, 공기통도 없이, 아무런 장비 없이. 허리를 힘차게 흔들어 반원을 그리며 내려갔다. 물고기라도 된 듯 자유롭게 바다를 갈랐다. 오래전부터 바다에 살았던 생물처럼 그렇게 바다를 헤엄쳤다. 한참을 내려가다가 문득 멀리, 아주 멀리 검고 커다란 그림자를 본 것 같았다. 잠깐 멈춰서 그 그림자를 보다가 급하지 않게, 하지만 서둘러 위로 올라갔다. 몸을 곧게 펴고 위로, 위로, 위로 향했다.

푸핫—.

바다 위로 높이 솟아올라 거칠게 숨을 몰아쉬었다. 비릿한 공기가 몸속 가득 차오르는 것 같았다. 그 공기를 오래도록 담아 두려 가슴을 크게 열어젖혔다. 숨을 폐 깊숙이 밀어 넣었다.

| 작가의 말 |

글쓰기를 시작하면서 문득 오래전의 내 모습이 떠올랐다. 그때는 무척이나 예민했다. 주위 사람들의 말 한마디 한마디에 날을 세웠고, 그 속에 숨어 있을지도 모르는 악의를 찾아 혼자 끙끙거렸다. 나를 향한 선한 충고에도 독한 말을 자주 날렸다. 별명도 고슴도치. 가시 달린 별명이 많았다.

그러다 갑자기 이런 내가 지긋지긋해졌다. '나 너무 예민한 인간인가 봐.' 하는 문제의식이 아니라 '너무 피곤해서 더는 못 해 먹겠어!'에 가까웠다. 그래서 큰맘 먹고 둔해지기로 결심했다. 귀에 들려오는 무수한 말들을 애써 밀어 내고, 내 몸에 붙어 있는 듯한 가시들에 말랑말랑한 젤리를 덧바르는 그림도 그렸다. 그러다 정신을 차려 보니 나는 정말 놀랍도록 무던한 사람이 되어 있었다. 나 스스로도 화들짝 놀랄 만큼.

소설을 쓰면서 나는 마음을 움직이는 절박함에 대해 종종 생각했다. 그리고 예민함과 둔함처럼 극과 극은 아니더라도, 아주 작은 마음의 변화만으로도 전혀 다른 결과에 다다를 수 있지 않을까 하는 생각이 들었다. 이런 생각이 이야기 속에 자연스럽게 녹아든 것 같다.

이 소설 속 주인공들은 어떤 절박함에 맞닥뜨리는 순간, 그리 크지 않은 일들을 경험하며 조금씩 변화한다. 이런 작은 움직임이 읽는 이들에게 잘 전달되기를 바라 본다. 읽는 동안 조금은 가벼운 마음이 되어도 좋을 듯하다. 내가 나 자신을 괴롭혀 온 마음의 굴레를 벗으면서 조금은 가벼워졌듯.

부끄러움을 안고, 첫 소설집을 세상에 내놓는다.

이 책을 읽어 준 모든 이들에게 고맙다. 글을 잘 다듬어 준 편집자님께 감사하다. 같이 나이 들어 가는 글동무와 가족한테도 무한한 고마움을 전하고 싶다.

2017년 8월 제주에서,

조현주

창비청소년문학 79
땅에서, 날다

초판 1쇄 발행 • 2017년 8월 18일
초판 3쇄 발행 • 2023년 9월 18일

지은이 • 조현주
펴낸이 • 강일우
책임편집 • 김영선 최은영
조판 • 신혜원
펴낸곳 • (주)창비
등록 • 1986년 8월 5일 제85호
주소 • 10881 경기도 파주시 회동길 184
전화 • 031-955-3333
팩시밀리 • 영업 031-955-3399 편집 031-955-3400
홈페이지 • www.changbi.com
전자우편 • ya@changbi.com

ISBN 978-89-364-5679-5 43810